Sous la direction de
Jacques PLUYMAEKERS

FAMILLES, INSTITUTIONS ET APPROCHE SYSTÉMIQUE

D1300764

LES ÉDITIONS ESF
17, rue Viète, 75017 Paris

Nous tenons à remercier
le ministère de la Communauté française de Belgique
pour l'aide qu'il nous a apportée.
Elle nous a permis de réaliser cet ouvrage.

Ont participé à cet ouvrage :

Jean-Claude BENOIT : Psychiatre des hôpitaux, médecin-chef au C.H.S. de Villejuif. Président de l'Institut d'Études des Systèmes Familiaux. A déjà publié différents ouvrages sur les méthodes psycho-thérapiques et sur l'abord familial de la psychose. Auteur de *La désa-liénation systémique* en collaboration avec D. Roume, Paris, ESF, 1986. Membre du comité de rédaction de la revue *Thérapie familiale*.

Mony ELKAIM : Psychiatre, thérapeute familial. Président de l'Institut d'Études de la Famille et des Systèmes Humains de Bruxelles. Direc-teur des *Cahiers critiques de thérapie familiale et de pratiques de réseaux*. Consultant au service de Psychiatrie de l'hôpital Erasme, Uni-versité Libre de Bruxelles. Auteur de divers recueils dont les *Pratiques de Réseau, Santé mentale et contexte social*, Paris, ESF, 1987 et *Si tu m'aimes, ne m'aime pas. Une approche systémique des thérapies fami-liales et de couples*, Paris, Le Seuil, 1989.

Carlo FILIACCI : « Attending psychiatrist », responsable de la consulta-tion du Cabrini Medical Center à New York. Consultant à l'« Ackerman Institute » à New York.

Edith GOLDBETER-MERINFELD : Psychologue au Service Médico-Psy-chologique à l'hôpital universitaire Saint-Pierre, Bruxelles. Responsable de la formation à l'Institut d'Études de la Famille et des Systèmes Humains, Bruxelles.

Catherine GUITTON-COHEN ADAD : Psychiatre hospitalier, dirige une unité clinique de Thérapie Familiale dans la région parisienne. Thérapeute systémicienne et formatrice à l'I.R.I.S. Auteur de *Instant et processus. Analogies en thérapie familiale systémique*, Paris, ESF, 1988.

Michel MONROY : Psychiatre des hôpitaux au Centre hospitalier de Villeneuve-Saint-Georges, thérapeute familial. Auteur de *Scènes, mythes et logiques* (à paraître aux éditions ESF, Paris).

Luigi ONNIS : Psychiatre, thérapeute familial, chercheur à l'Institut de Psychiatrie de l'Université de Rome. Superviseur au Centro Studi e Terapia Familiare à Rome. Auteur de plusieurs livres sur le renouvelle-ment de la psychiatrie en Italie, ainsi que sur les nouvelles expériences de travail psychothérapeutique dans les services publics de psychiatrie.

5

Robert PAUZE : Psychologue, thérapeute familial. Professeur au département de psycho-éducation de l'Université de Sherbrooke, Québec. Consultant en centre d'accueil.

Jacques PIGUET : Directeur du Centre pédago-thérapeutique « Horizon », thérapeute familial au « Céfoc », Genève. Superviseur de thérapeutes de familles et consultant en institution.

Jacques PLUYMAEKERS : Psychologue, responsable et formateur à l'Institut d'Études de la Famille et des Systèmes Humains, Bruxelles. Président de l'Association Réseau et Famille, Montpellier. Chargé de cours à l'enseignement supérieur social, Namur. Fondateur, en 1971 et directeur jusqu'en 1985, du centre de santé mentale « La Gerbe », Bruxelles.

Bruno ROUGIER : Éducateur en A.E.M.O., thérapeute familial. Formateur à l'Association Réseau et Famille, Montpellier. Auteur de *En milieu ouvert*, Paris, Le Seuil, 1979.

Linda ROY : Intervenante en service social et en psychiatrie infantile, C.S.S. Ville-Marie, Montréal. Consultante pour les interventions en réseau en Centre d'accueil et en Centres locaux de services communautaires.

Colette SIMONET : Psychothérapeute, thérapeute de famille en privé et en institution. Formateur à la thérapie familiale à Genève, aux côtés de Mony Elkaïm. Superviseur de thérapeutes de familles et consultant en institution.

Carlos SLUZKI : Président du département de Psychiatrie du Berkshire Medical Center, aux États-Unis d'Amérique. Coauteur de *Double-bind*, New York, Grune & Stratton, 1976. Éditeur de la revue *Family Process*.

SOMMAIRE

TROISIÈME PARTIE
THÉRAPIE FAMILIALE, HYPOTHÈSE ET MANDAT

QUATRIÈME PARTIE
APPROCHE SYSTÉMIQUE ET CONSULTANT AUPRÈS D'INSTITUTIONS

INTRODUCTION

Jacques PLUYMAEKERS

Au moment de rédiger l'introduction de cet ouvrage ont ressurgi des souvenirs particulièrement marquants : ceux de la naissance de mon fils aîné... et de la situation d'usager d'une institution « maternité » dans laquelle je me suis retrouvé ces jours-là.

Voilà un de ces moments où nous sommes tous bien vulnérables, face à l'institution « soins de santé », même si un accouchement ne présente pas, en général, les dangers habituels que l'on associe à une hospitalisation.

En vous racontant ce qui m'est arrivé dans cette peau d'usager, soumis à des règles institutionnelles que je ne comprenais pas et que je n'osais pas critiquer, ma tentative sera de dépeindre la manière dont une institution peut être vécue par un utilisateur. Dans un second temps, je commenterai cette expérience vécue pour proposer une réflexion — parmi d'autres — sur l'institution.

En conclusion, je présenterai l'esprit qui a présidé à l'organisation de cet ouvrage et les voies de recherche qu'il ouvre.

*
* *

Dès le début, ma compagne et moi avions considéré comme impératif de chercher à faire suivre la grossesse par quelqu'un qui serait avant tout un « accompagnateur », pas seulement un technicien.

Avoir un enfant est toujours une chose importante. Au moment où nous le vivions personnellement, cela devenait essentiel. Ne fût-ce que parce qu'il s'agissait de nous, tout simplement ! Nous avons donc voulu choisir un gynécologue en fonction d'un minimum de complicités entre lui et nous et, dans la mesure du possible, quelqu'un qui envisageait de partager avec nous toute l'aventure, de la préparation jusqu'à l'accouchement compris.

Alors, nous avons pris un annuaire... Nous en avons parlé autour de nous. Et, en fin de course, nous avons établi une liste de cinq gynécologues parmi lesquels nous tenterions de choisir. Des contacts sont pris par téléphone. Résultat : cinq rendez-vous successifs sur une période de quinze jours. Nous commencions chaque fois notre visite en disant au gynécologue que nous venions dans un premier temps pour faire connaissance, et que nous déciderions « après » comment et avec qui nous préparerions cette naissance. Provocation caractérisée ?

Sans doute ! Nous nous étions dès le début placés dans une certaine logique, une logique qui partait de notre responsabilité de futurs parents et d'usagers de soins de santé. Mais cette logique mettait la relation établie « soignant-soigné » nécessairement en cause. Et les médecins ne semblaient pas pouvoir se démarquer de leur rituel. Malgré notre laïus, leur réaction fut unanime : tous ont entrepris de constituer un dossier, de prescrire des vitamines, d'ordonner une prise de sang, d'effectuer un examen corporel... et de fixer le prochain rendez-vous. On aurait dit qu'ils s'étaient passé la consigne. Tous avaient d'ailleurs l'air convaincu que peu importait qui nous étions et ce que nous exprimions : on les avait déjà choisis. On avait beau dire : « Mais on vient simplement se présenter et faire connaissance », ils se croyaient l'élu.

Nous choisîmes enfin le gynécologue, celui avec qui les contacts avaient été plus personnalisés, même si certains traits se retrouvaient chez tous. Par exemple, chaque fois que moi, le père, je posais une question, ils répondaient à la mère... ou, disons, en la fixant des yeux. Bien sûr, à la longue, je faisais exprès d'intervenir dans la conversation mais sans résultat : ou plutôt avec comme résultat de ne jamais réussir à capter leur regard tout en écoutant la réponse adressée à la mère. Très étrange de se sentir, comme père... tout juste toléré. J'y reviendrai. Passons plutôt au choix de la maternité pour lequel nous avions procédé de même. Notre préférence tomba sur un service qui, dans sa pratique, s'inspirait des idées et méthodes de F. Leboyer (naissance sans violence). Celui-ci nous apparaissait comme le moins « hospitalier » et le plus accueillant de tous, selon ce que nous espérions.

Et puis, et puis... un impondérable, ça va, mais une multiplication d'impondérables, ça pèse vraiment lourd et la belle mécanique espérée a tourné comme une folle. D'abord, ce jour-là, le service pratiqua une quinzaine d'accouchements (ce qui était tout à fait exceptionnel dans ce petit service) et, le moins qu'on puisse dire, c'est que le personnel était fourbu. Ensuite, toutes les chambres et toutes les salles étaient occupées. On nous transporta d'un coin à l'autre pour aboutir dans une chambre à l'étage en dessous, en chirurgie. Et puis l'appareil de contrôle des battements cardiaques du fœtus et de la mère joua des siennes. Personne ne sembla capable de régler cette petite merveille de la technique. Tout cela, le reste et la longue attente ne contribuaient pas à créer la bonne ambiance préparant l'accouchement. On était là depuis je ne sais combien d'heures quand le fameux appareil de contrôle commença à mettre tout l'étage en alerte.

J'assistais, statue muette par obligation, à un ballet qui se déployait sous mes yeux. C'était l'infirmière puis le médecin qui venaient se pencher sur les cadrans avant de discuter à mi-voix, avec des regards qui me transperçaient comme si j'étais l'homme invisible. « Il va falloir se décider», disait-on et puis encore : « Ça ne va pas, hein ! » ou bien : « ... pratiquer la césarienne ». J'aurais aimé qu'on tienne compte de nous, les parents, qu'on me demande, ne fût-ce qu'un acquiescement, à propos d'une décision qui était en train de poindre. Mais non, rien. La décision, elle, est prise à deux mètres de moi. On rallume tout l'éclairage... adieu, les lumières tamisées de Leboyer ! Tout le monde bouge, c'est l'urgence et la procession en direction de la salle d'opération !

Pour la maman, les contractions douloureuses continuaient. Et au moment de pénétrer en salle d'opération, elle crie quelques fois. « Taisez-vous ! » hurlent les infirmières. Elles étaient vertueusement indignées : une future opérée, ça ne crie pas ! On m'avait affublé d'une blouse verte et j'étais là un peu en retrait, parfaitement inutile et pourtant spectateur privilégié d'un formidable décalage.

Oui, tout le monde fait semblant ! Quand le processus se déroule sans problème, eh bien, créons l'ambiance, laissons crier et le reste mais sitôt que surgit une difficulté, cela va jusqu'à interdire d'élever la voix ! Cela dit, la césarienne se déroule... très bien même. Ce qui a le don de ramener une atmosphère plus détendue. L'infirmière accoucheuse me laisse donner le bain à l'enfant. Une aspiration des mucosités pouvant gêner l'enfant est pratiquée avec le matériel de réanimation descendu du service « Maternité ». Et ce, tandis que l'énorme machinerie de la salle d'opération tournait avec ses allées et venues, ses rangements de toute sorte, sans tenir compte de nous.

Finalement, l'aventure ne se termine pas trop mal !

Nous remontons avec l'infirmière accoucheuse et le bébé dans la chambre. La maman encore endormie viendra nous rejoindre. Quelque temps après, le bébé, couché dans son berceau, bleuit à vue d'œil. Sa grand-mère, arrivée entre-temps, le prend dans ses bras, s'efforce de le faire respirer... et me demande d'appeler au plus vite l'infirmière. Je sonne. Je parcours les couloirs : personne. J'ouvre des portes, pénètre dans le bureau : pas d'infirmière. J'appelle : pas de réaction. Je descends en chirurgie, où nous avions été hébergés ce matin, et tombe sur une infirmière à qui j'explique brièvement qu'un bébé est en train d'étouffer à l'étage au-dessus. Elle m'accompagne et, pas plus que moi, elle ne déniche une collègue. Elle décide alors d'appeler le service des urgences. Deux médecins viendront avec leurs trousses de secours mais leur matériel de réanimation n'est pas adapté aux nouveau-nés. Personne, bien sûr, ne connaît les méthodes de rangement de la maternité. Heureusement, j'avais aidé à remonter les appareils depuis la salle d'opération : je conduis donc les médecins dans une salle de rangement. Les médecins tombent sur un appareil que, manifestement, ils ne connaissent pas. Ils n'arrivent pas à le mettre en marche, touchent à ceci et à cela jusqu'à ce que, me souvenant avoir vu fonctionner l'appareil tout à l'heure, je suggère une manœuvre. Tout cela, inutile de le dire, prend du temps mais, enfin, l'enfant respire ! Les médecins des urgences n'ont à l'évidence pas dans leurs spécialités les soins aux nouveau-nés.

L'infirmière de la maternité a enfin été « retrouvée ». Elle avait une autre urgence. Appelée dans une autre chambre, elle avait malheureusement oublié de brancher la sonnerie d'appel dans celle-ci. Les médecins lui conseillent dès lors de contacter un pédiatre et puis se retirent. Coup de fil au pédiatre. Il n'a pas très envie de se déplacer. D'ailleurs, l'infirmière dit : « Vous savez, il respire... Oui, oui, il respire normalement. » Décision du pédiatre : qu'on place le bébé en couveuse. Ma première réaction fut le soulagement : une couveuse, ça doit sûrement être un endroit supersurveillé par rapport à la chambre d'accouchée. Eh bien, non ! Dans la salle des couveuses, il n'y a personne sinon un autre bébé. L'infirmière place mon fils dans une couveuse puis essaie de la mettre en marche mais l'appareil disjoncte à tout coup et puis, sans raison apparente, voilà qu'il fonctionne ! L'infirmière pousse le tuyau à oxygène par une petite fenêtre : le bout du tuyau se retrouve près du nez du bébé. Je regarde, très étonné.

Dès que l'infirmière est partie, je commence à scruter la couveuse sous tous les angles. Je découvre sur un côté une énorme plaque de métal avec un texte allemand surmonté d'un *Achtung !* peint en rouge. L'allemand n'est pas mon fort mais j'en comprends cependant assez pour deviner que la fixation du taux d'oxygène dans le mélange exige une étroite surveillance et moultes précautions. Au mur, un manomètre indique un chiffre inférieur à celui inscrit sur la couveuse. Mais est-ce le bon ? La couveuse a malgré tout disjoncté à plusieurs reprises... Je conclus que cela doit être dans les normes. En revanche, ce qui m'inquiète c'est ce tuyau poussé avec désinvolture... ou incompétence ! Il entre dans la couveuse par une des ouvertures destinées au passage des mains !... En fait, je ne connais pas les dangers de l'oxygène pour les yeux des nouveau-nés. Je réagis par rapport à ce qui me semble non logique. Aussi, mon inquiétude me fera décider d'ouvrir régulièrement la couveuse pour renouveler l'air et m'assurer secrètement qu'il n'y a pas trop d'oxygène. Deux brefs passages de l'infirmière viendront ponctuer cette longue nuit où, seul avec mon fils, je tente de me rassurer.

Le matin arrive et avec lui l'infirmière de jour. Celle-ci pénètre dans la salle, en fait le tour, tombe en arrêt devant la couveuse de mon fils. Je la sens très vite énervée, irritée. Je la vois arracher le tuyau avec violence et le rebrancher là où il le fallait, près des mises en garde. La couveuse était munie de sécurités pour autant que le tuyau d'arrivée du mélange air-oxygène soit correctement branché à l'appareil ! Elle sort sans mot dire. L'infirmière de nuit repasse quelques instants plus tard. Je l'interpelle. On s'explique à propos des péripéties survenues depuis la veille et, devant les risques de catastrophe... et de scandales courus, c'est alors la crise de larmes. L'explication n'ira pas plus loin. Dans la journée, j'aurai un entretien avec le médecin-chef. Je lui dirai la gravité de ce qui s'est passé, mon souci que cela ne se reproduise plus, mes inquiétudes sur d'éventuelles séquelles. Je lui dirai aussi mon intention de ne pas « leur faire des misères » car, pour moi, il était assez clair que les circonstances avaient exigé trop de l'infirmière. Et, dans cette situation de stress, elle s'est retrouvée, comme les médecins, tout à fait démunie devant les arcanes des multiples appareils électroniques.

J'apprendrai plus tard le danger de brûlures irréversibles aux yeux des nouveau-nés que provoque un taux trop élevé d'oxygène et, rétrospectivement, je revois avec horreur ce tuyau à côté du nez et des yeux de mon fils.

Comment nous a-t-on ensuite considérés, nous les parents, jusqu'à la sortie de la maternité ?

Si, dans le service, on nous a couverts d'attentions, presque cajolés, en revanche nous nous heurtâmes à l'hostilité des services administratifs. Ceux-ci n'étaient en rien au courant de nos mésaventures. Or, à cause de celles-ci, j'avais négligé de payer l'acompte. Il n'est pas dans l'habitude de la maison, m'a-t-on répété avec force, de n'en pas respecter les règles... Bref, on me fit la leçon !

*
* *

Il y avait, à l'évidence, trente-six façons de raconter la naissance de mon fils. Le regard adopté pour la lire détaille l'histoire d'un père qui, vivant l'aventure d'une grossesse et de l'accouchement se voit confronté à l'institution. Laissons maintenant de côté l'aspect « kafkaïen » de la chose pour nous attarder sur la lecture systémique que nous pouvons faire de cette expérience... lecture dans laquelle nombre d'analyses qui seront entreprises au long de ce livre se retrouveront. Relisons donc quelques passages de cette expérience.

Un premier élément remarquable apparaît dès le choix d'un gynécologue et se renouvellera dans la définition des relations entre nous, parents, et institution médicale. En effet, l'histoire montre, semble-t-il, combien il est difficile dans le contexte médical classique, coincé dans ses règles habituelles, de voir se générer une réponse adaptée lorsqu'il se crée une intersection avec une demande apparemment inhabituelle. En fait, ce qui est inhabituel, c'est la détermination que notre couple a mise dans sa recherche à vivre grossesse et accouchement en personnes responsables. Pris dans cette intersection singulière, le milieu médical développe alors une réponse qui, en apparence, satisfait le client mais c'est seulement en apparence car les règles fondamentales de l'ensemble médecin-institutions de soins restent inchangées.

C'est ainsi que le contexte du cabinet médical impose la forme de la demande. Toute façon de faire divergente est ramenée à l'intérieur du cadre prévu. Les divergences n'ont pas à être entendues puisqu'elles n'ont aucun rôle à jouer. Ce qui doit se jouer se jouera. Trois mots clés, « Je suis enceinte », suffisent pour que tout se déroule. Le reste n'est que fioritures qui ne doivent en rien gêner le rituel. Nous retrouvons quelque chose de semblable dans la manière dont se joue la « place du futur père ». D'un côté, l'idéologie du moment la juge importante, strictement nécessaire. « C'est en couple que se prépare une naissance. » C'est, comme nous disons avec Mony Elkaïm, le « programme officiel ». D'un autre côté, les règles implicites qui s'actualisent concrètement dans la pratique médicale, elles, n'ont guère changé. Il y a bien un patient — la mère enceinte — et un médecin. Et ce qui doit être fait ne peut laisser de place à ces à-côtés relationnels !

Il se crée ainsi une situation étonnante où le futur père, bien qu'invité chaleureusement en fonction du programme officiel, « est là, sans être là » ; où les règles concrètes du jeu lui font douloureusement sentir qu'il ferait mieux d'être ailleurs ; où, chaque fois qu'il s'exprime, sa voix, en quelque sorte irréelle, est entendue mais ce ne peut être la sienne (puisque c'est à la mère qu'on répond).

C'est vrai — nous le verrons souvent dans les chapitres de ce recueil — qu'il ne suffit pas que des idées excellentes deviennent « programme officiel » pour que la pratique concrète et ce qui se joue et se noue entre les protagonistes d'une problématique soient en accord.

Un deuxième commentaire rappellera que dans ces relations tout est basé sur le fait que l'institution de soins est supposée savoir mieux que le patient ce que ce patient doit subir. Dans ce contexte, si l'institution, pour des raisons spécifiques, ne peut remplir son office, il y a peu de chances pour que le patient ignorant puisse lier cela à une incompétence ou à une faute professionnelle. Et les règles de l'institution restent alors protégées : le grain de sable qui s'est glissé n'était pas prévisible et restera accidentel et purement fortuit.

Ici, la situation est exceptionnelle. Le grain de sable est tout simplement la présence du père avec ses initiatives. Ce jour-là, le fonctionnement de l'institution a amené ce père à jouer un rôle loin d'être négligeable : c'est lui qui va à la recherche d'une personne de garde, c'est encore lui qui montrera au médecin le lieu où se trouve l'appareil de réanimation ; c'est toujours lui qui leur en montrera le fonctionnement ; c'est enfin lui qui, inquiet de l'indication sur un appareil et étonné par le fonctionnement erratique de ce dernier, n'osant pas douter de la compétence de l'infirmière, devra créer un comportement qui respecte les règles de l'institution (laisser la couveuse fermée) et ses propres craintes (ouvrir cette dernière régulièrement).

C'est en quelque sorte la déroute du « programme officiel » de l'institution. Cette cascade d'incidents évoque le tricot qui se défait à partir d'une maille qui cède.

L'infirmière de la maternité restée introuvable, entraîne ainsi l'intervention de nombreuses personnes qui vont devoir réagir par elles-mêmes, hors des règles habituelles. Chacune fera preuve de créativité sans cependant savoir si cela va ramener les choses à la « normale » ou engendrer de nouveaux problèmes... Le système est en crise pour le meilleur ou pour le pire ! Ainsi, l'infirmière de chirurgie prend l'initiative de quitter son service pour intervenir dans celui de la maternité... sans dire où elle est partie ; les médecins de la salle d'urgence, appelés, sont amenés par les circonstances à se montrer « égarés » dans la maternité de leur hôpital... Et comme père, je me retrouve en première ligne, intervenant au mieux mais comme sur un terrain inconnu...

Une alliance étonnante émerge ainsi de la situation et nous pouvons lui prêter tout autant la fonction de sauver l'enfant que de sauver la réputation de l'hôpital. En effet, les interventions du père ne se trouvent prises en compte qu'au prix d'un accord implicite de chacun sur la défaillance du « système hôpital ». Cela se noue, irréversiblement, au moment où, comme père, je déclare savoir où se trouve l'appareil de réanimation pour nouveau-nés.

D'une certaine façon, le père est désigné comme cothérapeute, mais cette désignation est redoutable. Car, par ses initiatives, il va contribuer non seulement à sauver son enfant — ce qui est évidemment essentiel — mais à protéger la réputation de l'hôpital au moment même où le fonctionnement de celui-ci est gravement défaillant.

Cela pointe aussi les risques immenses que le personnel fait courir à l'institution-hôpital dès l'instant où il accepte que les règles habituelles soient bouleversées.

C'est en effet évident qu'après les incidents autour de la réanimation, le personnel ne peut renvoyer le père dans sa chambre ni celui-ci renoncer à la vigilance dans son contrôle...

C'est dans ce contexte qu'il faut relire l'« histoire de la couveuse ». La présence du père amplifie la disqualification de l'infirmière de la maternité encore sous le choc de son « absence ». Plus le père est là, moins l'infirmière peut se montrer compétente... Apparaît dans ce contexte de surqualification (le père) - disqualification (l'infirmière), un jeu de non-dits insensé... L'infirmière ne peut s'expliquer devant la couveuse qui refuse de se mettre en marche comme il se devrait. Le père regarde et se tait. Il n'ose plus intervenir... devant l'infirmière. C'est après, seul, qu'il adoptera un comportement régulateur mais qui aurait pu être inadéquat...

Enfin, troisième commentaire. Cette histoire qui aurait pu tourner au drame montre *a contrario* comment la place laissée au père a permis aux règles rigides d'une institution en difficulté de gagner en flexibilité. Mais, faut-il le rappeler, cette place a émergé des circonstances : le père, de « pur objet toléré », devient sujet... mais par erreur. Il y a donc fort à parier que la leçon que l'institution retiendra ne sera pas celle d'une place plus importante donnée au patient ou à ses proches mais de la publication d'un édit interdisant aux parents d'avoir la latitude que le père a eue ici.

Le système institutionnel risquera alors de ne pas gagner en flexibilité mais, grâce au fait que les proches du patient ne pourront plus être au courant des manques de l'institution, celle-ci pourra mieux protéger son équilibre défaillant.

Pour conclure, cette histoire vécue m'a semblé importante à plus d'un titre : elle révèle la richesse potentielle d'une institution en problème lorsque celle-ci accepte une certaine flexibilité, elle laisse aussi prévoir le drame qui aurait pu se passer si une rigidité institutionnelle avait empêché toute intrusion extérieure en son sein.

*

* *

Après cette histoire et ses commentaires qui nous introduisent à la complexité de l'institution, je voudrais vous présenter les axes autour desquels ont été réunis les différents chapitres de cet ouvrage.

Un premier chapitre s'interrogera sur les conditions d'émergence d'une théorie systémique de l'institution. Comment, en effet, intégrer les derniers développements théoriques du champ systémique à nos réflexions sur l'institution ?

Nous aborderons, dans un deuxième chapitre, différentes réalités institutionnelles que les auteurs ont thématisées en référence à l'approche systémique. Ces textes se centrent sur l'institution elle-même et tentent de dégager des modèles à la fois théoriques et opératoires.

Un troisième chapitre élargira la problématique de l'institution aux institutions. Comment agir et réfléchir la complexité inhérente aux multiples interactions qui se créent entre différents services officiellement complémentaires et souvent concurrents ?

Nous terminerons dans un quatrième chapitre avec trois textes qui décrivent comment peuvent évoluer des structures institutionnelles et comment elles peuvent bénéficier de l'intervention de consultants utilisant l'approche systémique.

Le champ des théories systémiques de l'institution éclairant nos pratiques institutionnelles est en pleine évolution. Cet ouvrage veut y contribuer, certains que nous sommes que, pour la plupart des professionnels du champ médicosocial, l'institution est une réalité incontournable et que c'est dans ce cadre que s'inscrivent leurs interventions auprès des familles.

Puisse ce livre ouvrir des perspectives où la complexité des réalités institutionnelles n'effraie plus mais au contraire devienne, par sa richesse même, le fondement de l'efficacité de nos réseaux institutionnels au service des familles.

Première partie

POUR UNE THÉORIE SYSTÉMIQUE
DE L'INSTITUTION

1

SYSTÈMES EN RÉSONANCE ET INSTITUTION

Mony ELKAÏM

Une des situations paradoxales à laquelle est confronté l'intervenant systémique concerne la genèse des théories qu'il utilise : ces théories ont été constituées aux États-Unis à partir de thérapies familiales étudiées en dehors de tout cadre institutionnel.

Il me semble important de multiplier les réflexions sur l'institution d'un point de vue systémique et je souhaiterais, dans les lignes suivantes, présenter très brièvement et très schématiquement une modeste contribution dans cette voie.

Je voudrais, à partir d'un exemple, relever un point auquel nous sommes fréquemment confrontés dans notre pratique institutionnelle.

Henri, le responsable de l'éducation dans une institution de formation professionnelle spécialisée — en l'occurrence, un internat où des jeunes filles de 15 à 19 ans résident — est contacté par le directeur de cette institution. Ce dernier lui demande de prendre en charge une situation particulière aux côtés de la psychologue de l'établissement : il venait de recevoir un appel téléphonique de la grand-mère maternelle d'une des pensionnaires, qui lui avait demandé de faire en sorte que la jeune fille cesse de battre sa mère quand elle rentrait chez elle le week-end.

Cette mère semblait dépendre étroitement de sa propre mère : c'était la grand-mère, par exemple, qui la conduisait en voiture lorsqu'elle voulait rendre visite à sa fille. Selon les renseignements que possédait Henri, l'espace personnel de la mère était extrêmement restreint : elle était constamment envahie par sa fille et sa propre mère, toujours prise entre deux feux.

En tentant de s'occuper de cette famille, Henri se trouve coincé tour à tour entre le directeur et les éducateurs, pris entre ceux-ci et la

21

psychologue : il se découvre avec étonnement pris, lui aussi, entre deux feux.

Pendant sa supervision avec moi, il associe ces situations à des éléments semblables dans sa famille d'origine. Son père avait épousé sa mère en secondes noces, après avoir eu trois enfants de sa première femme. C'était à lui que s'adressaient ses demi-sœurs et son demi-frère quand ils voulaient demander quelque chose aux parents, et notamment au père. Par ailleurs, lorsqu'un problème surgissait entre ce dernier et les trois enfants plus âgés, c'était à lui que le père s'en prenait. Il était également l'enfant qui devait intervenir auprès des parents quand ils se disputaient. Là aussi, il se sentait coincé entre les membres de sa fratrie et ses parents, entre sa mère et son père — pris entre deux feux.

J'ai, en son temps, appelé « résonance »[1], ce type de situation. En effet, différents systèmes humains, à l'instar de corps qui peuvent entrer en résonance et vibrer sous l'effet d'une action périodique de fréquence déterminée, semblent entrer en résonance sous l'effet d'un élément commun.

Il semble que les éléments historiques appartenant à la famille d'origine d'Henri aient joué un rôle nécessaire mais non suffisant : Henri est loin de se sentir pris entre deux feux à tout instant.

Par ailleurs, dans l'institution, ce type de comportement est un des comportements existants, mais ne peut nullement être considéré comme un comportement dominant.

J'ai l'impression qu'à partir d'un moment donné, à partir de la rencontre des trois systèmes décrits, quelque chose de dormant s'est brusquement amplifié. A la suite d'un assemblage spécifique, ce qui n'était qu'un élément parmi d'autres devient brusquement règle dominante.

Dans mon expérience, l'intervention au niveau d'un des systèmes en résonance au point d'intersection permet de libérer de nouveaux devenirs au sein des autres systèmes en jeu.

Le concept de résonance me semble être une des portes de choix au niveau institutionnel : *l'exacerbation d'une des règles du système institutionnel est fréquemment liée au contexte spécifique dans lequel cette amplification est apparue.* Dans la situation que je viens de décrire, il s'agissait d'un « cocktail » créé par trois systèmes à la même singularité sensible.

---

1. BENOIT J.-C., MALAREWICZ J.-A. et coll., *Dictionnaire clinique des thérapies familiales systémiques*, Paris, ESF, 1988.

Cette règle, qui aurait bien pu rester « en sommeil » et ne pas s'amplifier dans d'autres contextes, est le pont spécifique et singulier entre le système institutionnel et les autres systèmes en jeu. Reconnaître ces ponts et apprendre à les utiliser me semble une des voies de recherche prometteuses dans les situations à l'interface entre différents systèmes et en particulier dans les situations institutionnelles.

2

L'INSTITUTION, UNE THÉORIE OU UNE PRATIQUE ?

Jacques PLUYMAEKERS

Quels rapports établir entre théorie — systémique de surcroît — et institution ? L'analyse de leurs relations peut-elle éclairer notre pratique ? Sur la base de ces deux interrogations, je me propose de développer les points suivants :

1. L'institution ne serait-elle pas la théorie par excellence ?

2. Imaginer une institution systémique ne relèverait-il pas du non-sens ?

Enfin, ma réflexion portera sur ce qui suit : une théorie systémique de l'institution doit, en priorité, privilégier une lecture intégrative des rapports intra- mais surtout inter-institutionnels.

Y a-t-il une théorie de l'institution [1]* ou l'institution est-elle théorie ?

Rappelons le sens du verbe grec *théorein* : contempler, regarder. Les phénoménologues ont récupéré ce sens en définissant la théorie comme un regard que portent sur les hommes d'autres hommes, niant par là le regard néantissant que d'autres hommes portent sur lui. J'aime cette définition parce qu'elle a le mérite de nous rappeler cet essentiel : la théorie, c'est un temps, un lieu d'objectivation. Et l'institution, alors ? Eh bien, c'est une théorie, je dirai même la théorie par excellence. Qu'est-ce, en effet, une institution sinon un lieu, un temps d'objectivation : une pratique hautement théorique ! Cette dimension théorique se situe d'ailleurs à deux niveaux. Pour exister, l'institution ne peut pas soit :

— ne pas stigmatiser le « client » et ainsi se définir par lui ;

---

* Les chiffres entre crochets renvoient à la bibliographie située à la fin du chapitre.

— ne pas objectiver, rigidifier ses règles et ainsi se mettre hors du temps, s'éterniser, du moins s'en donner l'illusion...

A la différence de l'homme, l'institution profite du regard porté sur elle qui l'objective. Qu'elle objective ou qu'on l'objective, elle en sort renforcée. Et cela est vrai aussi bien pour un hôpital psychiatrique que pour des institutions comme les P.T.T., les caisses de retraite, etc. A l'évidence, les raisons ou les besoins auxquels répondent nos institutions existeront toujours... autant donc en fixer les règles pour longtemps ! Nos caisses de retraite, imaginons-les d'ici quelques années. Quand bien même il n'y aurait plus un sou à distribuer, elles seraient encore nécessaires pour gérer la non-distribution de l'argent escompté !

L'institution s'imagine irréductible : elle se comporte en irréductible... d'autant plus facilement que nos sociétés lui en donnent la fonction. L'institution-théorie (la théorie-institution) nous rassure ; elle nous libère même, au prix de l'objectivation de l'autre.

Alors, une question naïve : comment l'institution pourrait-elle devenir une « pratique », c'est-à-dire centrée sur le singulier de l'événement ? L'approche systémique, de par son intérêt à lire la complexité, ouvre ici des pistes intéressantes.

Peut-on souhaiter des « institutions systémiques » ?

Mais, pour que cela devienne « une pratique », beaucoup d'entre nous ont poursuivi le rêve que se créent des « institutions systémiques ». En effet, intéressés, formés, supervisés, nous nous retrouvons dans l'institution, fréquemment coincés, mis au défi, suivis de près... ou regardés de loin. Aussi, tout naturellement, on se met à penser que si les collègues, si l'institution partageaient les mêmes références... tout irait mieux. Nous ferions de la thérapie familiale sans problèmes. Elle trouverait sa place et nous aussi... C'est un peu oublier que l'approche systémique est d'abord une prise en compte de la complexité. C'est là aussi une façon bien linéaire de concevoir l'introduction de l'approche systémique dans l'institution.

En effet, souhaiter une « institution systémique » est à la réflexion un non-sens. L'approche systémique n'est pas une idéologie, pas plus qu'une technique capable de qualifier valablement une institution. Soyons clairs : difficile de concevoir, par exemple, une « prison systémique » !

25

Nous savons que l'approche systémique est une façon d'aborder une réalité et d'en lire sa complexité. Aussi, l'approche systémique dans son rapport à l'institution mettra l'accent sur les interactions : sur le « comment cela fonctionne ». Elle reconnaîtra aussi d'entrée de jeu l'importance de l'acteur institutionnel et de la dimension autoréférentielle dans laquelle il se situe. C'est toujours comme acteur institutionnel que j'ai à relire ce qui se joue sur le théâtre de mon institution, des institutions...

Que l'on réduise l'approche systémique à sa modalité la plus connue, la thérapie familiale, introduite comme une simple technique dans l'institution et voilà l'approche systémique « externalisée ». Elle se retrouverait à l'instar d'un outil un peu étrange dans les mains de l'acteur institutionnel, dès lors lui aussi forcé de se situer comme extérieur à ce qui se joue avec lui.

On voit mal en effet comment les hôpitaux psychiatriques, les institutions de santé mentale ou d'éducation spécialisée changeraient leur logique ou leurs pratiques — hautement théoriques, rappelons-le —, sous le prétexte que les patients et leur famille disposeraient sur place de thérapies familiales.

Mais l'écueil n'est pas propre à la thérapie familiale. Il en fut de même pour la psychanalyse qui, introduite au titre de simple technique dans les hôpitaux, n'a certes pas fait la révolution !

Que l'approche systémique soit positionnée comme programme officiel de l'institution n'évite pas les écueils, loin de là. Le risque est alors que celle-ci devienne bien vite le mythe institutionnel, l'idéologie de la maison ! Et nous savons le poids que prend un mythe dans une institution... Nous savons aussi que les programmes officiels et autres projets pédagogiques ne changeront jamais comme par enchantement la pratique institutionnelle ! C'est en effet au niveau des règles implicites que s'opèrent de nombreuses régulations, le plus souvent homéostatiques. Et ici, il faut non seulement prendre en compte les règles intra-institutionnelles mais aussi celles qui se nouent entre les institutions.

L'institution comme d'ailleurs la famille et l'individu, reproduisent en leur sein les contradictions dans lesquelles se trouve lui-même pris le milieu socio-culturel et politique [2].

Que ce soit donc comme dimension technique ou comme programme officiel, l'institution n'a pas à être ou ne pas être « systémique ». Nous ne pouvons à la fois assigner à l'institution d'être lieu d'objectivation et lui prêter en même temps le pouvoir d'une

« lecture systémique ». Ce serait créer du non-sens. Il nous faut réserver cette qualification à ce qui concerne notre façon de penser, d'approcher, de fonctionner...

La lecture systémique nous appartient, elle n'a de sens qu'à travers chacun d'entre nous : seuls, nous sommes acteurs [4] des systèmes auxquels nous appartenons, et à l'intérieur de ceux-ci nous agissons les règles tout en étant agis par elles.

Quels sont les axes qu'une théorie systémique de l'institution devrait élaborer avec une plus grande netteté ?

Nous pouvons mettre l'accent sur trois axes. Chacun, à leur façon, met en évidence la même réalité : le singulier.

1. Le premier axe développera le concept de réseau en s'inspirant de l'analogie avec le jeu de « Mikado ». Le réseau apparaît alors comme l'intrication à chaque fois renouvelée des relations inter-institutionnelles à propos d'une famille. Un peu comme les configurations des bâtonnets d'un mikado sont toujours nouvelles et nous disent combien multiples sont les façons de s'enchevêtrer. Le réseau, vu comme « réseau-mikado », nous dit la nécessité d'intégrer à chaque fois dans nos lectures la façon toujours singulière qu'ont de s'articuler les intervenants de différentes institutions concernées par la même situation familiale. Cette lecture, non seulement des règles intrinsèques mais des singularités, nous évitera de trop tabler nos interventions sur les programmes officiels des institutions et sur leurs rôles respectifs. Ces programmes sont à prendre en compte mais nous disent peu quelles nuances mettre dans nos stratégies pour qu'elles soient créatives.

Même les règles intrinsèques propres à « nos systèmes institutionnels locaux » peuvent vite se montrer facteurs d'homéostasie — la bonne collaboration entre intervenants, par exemple, est souvent proche de la collusion contre une famille — et occulter la stricte nécessité de faire émerger la configuration singulière qu'a prise le réseau en interaction avec telle famille [4].

2. Un second axe mettra en valeur la place irréductible de l'acteur institutionnel et sa capacité de distance totalement liée à son immersion dans le système. L'approche systémique comme épistémologie a mis l'accent sur la circularité. Aujourd'hui, le développement de ce concept nous a montré non seulement l'importance qu'il y avait à lire

les « régulations » dans les systèmes, mais aussi la manière, à travers les notions d'autoréférence, de nous interroger sur l'émergence de la place essentielle de l'observateur [5]... Discerner aussi, comment c'est dans sa totale implication dans le système qu'il émerge et qu'émerge dans sa relation à ses descriptions la distance (non distante par définition, autorisant lecture et stratégie) [3]. Émergence de la distance, émergence de l'observateur, émergence en définitive d'un « je » irréductible, seul capable d'une lecture, de distinctions. Celles-là ne peuvent, en aucun cas, naître d'un collectif, d'une institution, ou de l'abstraction qu'est pour nous un système.

C'est toujours singulièrement que nous regardons les choses et le monde.

3. Se dégage enfin le troisième axe. Je le concrétiserai dans ce que j'ai appelé : *s'instituer ressource.*

Introduit comme nouvel intervenant dans le suivi d'une famille, m'instituer ressource est cette stratégie où, en référence à l'approche systémique, je tenterai de relire à la fois ce qui se joue dans le fait même que je suis interpellé et dans la relation que le collègue et le réseau de professionnels déjà engagés vient d'avoir avec cette famille.

Comment, au-delà de l'écoute du problème présenté par le collègue, puis-je décoder quelque chose de la façon singulière dont le réseau s'est mis en place et continue de se mettre en place avec moi, autour de cette famille ?

S'instituer ressource, c'est au-delà de sa compétence plus spécifique ou officielle, prendre en compte combien la famille, les collègues, nous-mêmes sommes acteurs de ce système plus vaste que sont les relations interinstitutionnelles.

S'instituer ressource, c'est renoncer aux descriptions interprétatives des uns et des autres « sur la famille » pour se centrer, avec sa sensibilité et sa compréhension propres, sur la définition du problème, en l'occurrence au moment où nous sommes interpellés, sur la manière dont le collègue situe son problème avec la famille.

C'est aussi renoncer dans un premier temps à débattre de la pertinence des solutions, de la solution souvent que moi ou mon institution représente.

Cette façon de travailler une situation dès le premier contact exige à la fois de s'affilier à la règle d'égalité entre professionnels (difficile dans un réseau d'être le thérapeute du « collègue ») et de s'en dissocier en prenant sur moi de ne pas comprendre immédiatement les présupposés qui fondent « la solution envisagée ».

S'instituer ressource, c'est approfondir les singularités que porte en lui tout événement — et tout spécialement le recours à la solution institutionnelle —, événement-symptôme s'il en est.

Le développement de ces axes, tant au niveau épistémologique que sur un plan pragmatique, contribuera au progrès du « pratique et de l'humain » dans le champ de l'institution.

RÉFÉRENCES BIBLIOGRAPHIQUES

[1] C.E.F.A., « Y a-t-il une théorie de l'institution ? » Compte rendu de la 6ᵉ journée « Psychanalyse et approche systémique », Paris, 1985.

[2] ELKAÏM Mony, « Système familial et système social », *Cahiers critiques de thérapie familiale et de pratiques de réseau*, 1, 1979.

[3] PLUYMAEKERS Jacques, « Agir et réfléchir... à l'infini : la formation à l'approche systémique », *Thérapie familiale*, 7 (2), 1986.

[4] PLUYMAEKERS Jacques, ROUGIER Bruno, « Approche systémique et milieu ouvert : de l'histoire d'une famille, d'une équipe et d'un réseau », in chapitre 15 de cet ouvrage.

[5] VARELA Francisco, « Les multiples figures de la circularité », *Cahiers critiques de thérapie familiale et de pratiques de réseau*, 9, 1988.

3

DIFFICULTÉS D'UNE LECTURE INSTITUTIONNELLE SYSTÉMIQUE

Michel MONROY*

Le titre pose lui-même au moins trois types d'interrogations :

1) Est-il convenable et épistémologiquement justifié de considérer l'institution comme un système ? Cette question renvoie au bien-fondé de tous les réductionnismes.

2) Si l'institution peut être considérée comme un système, quel est le statut de l'observateur ? De quelles garanties peut-il s'entourer ?

3) Quels sont les liens entre lecture et action, entre définition et projet, entre vision nouvelle et restructuration, et, au-delà, entre représentation et changement ? Ce qui ramène à la question précédente : à qui revient le mandat de lire, donc de transformer ? Quelles sont les conditions requises pour que cette lecture ait un impact ?

Nous allons essayer de nous interroger constamment, au cours de cette investigation, non seulement sur la nature de l'institution vue comme un système et sur son fonctionnement, mais aussi sur la place de notre démarche de lecture dans et sur le fonctionnement.

Une lecture de l'institution comme un système

Pour se faire une idée de la diversité des représentations que l'on peut avoir de l'institution en général, donnons-en une énumération non limitative.

L'institution peut se définir par :

— un mandat social relativement flou (la charge de gérer tel problème) ;

---

* Avec la participation de Jean-Claude Pollak, Nathalie Sinnelnikoff, Danielle Sivadon et Alain Valtier.

— un contrat précis et détaillé ;

— des moyens mis à disposition ;

— un organigramme, une structure, ne préjugeant pas étroitement des fonctions confiées ;

— un programme de développement échelonné dans le temps ;

— référence à une loi d'ordre, des règles ou des règlements ;

— référence au contraire à des principes très généraux, des idéaux, une idéologie ;

— référence historique (fidélité à l'esprit du fondateur) ;

— une mosaïque de motivations individuelles (aider son prochain, appliquer une théorie, se former, avoir un emploi stable, s'intégrer à un groupe, etc.) ;

— des types d'inter-relations des participants ;

— une productivité définie, etc.

On voit que toutes ces définitions sont saturées de finalisme et engendrent des lois, des limites de variation, des constantes à respecter, et qu'elles ne sont pas forcément ou constamment compatibles. Ainsi une des façons de définir la crise serait peut-être l'affrontement de définitions que le contexte socio-économico-idéologique rend momentanément ou durablement incompatibles.

Pour illustrer encore cette diversité de représentations non plus dans la définition mais dans la métaphore, on peut dire que l'institution a pu donner l'image : d'une famille, de la société, d'une entreprise, d'un phalanstère, d'une communauté, d'une cellule, d'un organisme animal, d'une machine, d'une sous-unité fonctionnelle, d'un laboratoire, d'une construction architecturale, d'une fourmilière, d'un corps de ballet, d'un panier de crabes, d'un navire, d'un parti, d'une équipe sportive, d'un ghetto, d'une église, voire d'une secte..., etc.

A travers ces métaphores, on voit se dessiner des tendances à privilégier certains aspects : le fonctionnel productif, l'interactif, l'idéologique, l'historique, la structure. Donc des tendances à définir une identité de l'institution polarisée plutôt sur l'histoire, sur les structures ou sur les fonctions.

Dans cette énumération de métaphores, on discernera aussi une double polarité : vers une cohésion interne autoréférenciée, ou vers un ajustement aux demandes ou pressions extérieures, donc plus économique ou écologique.

Il apparaît ainsi que l'identité de l'institution, si tant est qu'elle existe, dépasse la somme des représentations individuelles et se construit sur un jeu mouvant dont l'un des termes est la convergence-divergence des représentations de chacun, et l'autre terme est l'articulation au contexte socio-culturel et économique ambiant.

Pour tenter de dépasser l'impression que nous avons pu donner jusqu'ici d'une institution seulement animée de mouvements browniens, nous proposons des pistes de lecture sur des axes diversifiés non réductibles les uns aux autres, de telle sorte que nous ne soyons enfermés ni dans une lecture historique, ni dans une perspective structurale ou fonctionnelle.

Certains de ces axes sont définis par deux polarités opposées entre lesquelles se dessine un continuum. Par exemple :

— le dedans et le dehors de l'institution, avec le problème de la frontière, des limites, de la membrane et de sa perméabilité ;

— l'explicite et l'implicite, le structuré et l'informel, l'écrit et le non-écrit, le dit et le non-dit.

Par ailleurs, nous proposons la juxtaposition des modèles de *découpage* de la réalité institutionnelle.

Par exemple : découpage en structures fonctionnelles, découpage en espaces habités, découpage selon les statuts, selon les affinités, selon les rôles, selon les courants idéologiques, en proposant à chacun de dresser une hiérarchie de la prévalence de chacun de ces découpages.

La notion de découpage nécessite l'introduction de la notion de *champ*, concept qui nous paraît plus utile dans certains cas que celui de structure. Lorsque nous parlons de champ, nous pensons à une sorte d'espace de références partagées par un certain nombre de personnes, sans que l'espace défini se borne aux limites des structures connues.

Par définition, les limites d'un tel champ sont floues, fluctuantes, imprécises mais, pour autant, les personnes qui participent de ce champ répondent de près ou de loin à des caractéristiques précises. Prenons comme exemple les lecteurs d'un journal. Le champ partagé est la lecture de ce journal. Vers le centre du champ, nous situerons les personnes qui assurent pleinement la définition (rédacteurs, lecteurs assidus, abonnés, etc.). A la périphérie de la zone d'influence, nous situerons les lecteurs occasionnels et même les personnes qui ont reçu un écho indirect du journal.

Dans le cas d'une expertise pénale, on pourra ainsi parler de champ de la psychiatrie ou de champ de la justice et de la position d'une personne à l'intérieur, à l'extérieur ou à la limite de ces deux champs.

Au cœur d'un champ particulier, une certaine définition des faits et une certaine loi s'appliquent pleinement. Au contraire, à la périphérie du champ, l'appartenance est discutable et nous assistons à des conflits de lois.

Lorsque nous parlons de découpages, nous faisons allusion à ces limites floues et subjectives qui font qu'un phénomène se rattache à tel ensemble pour une personne et à tel autre ensemble pour une autre. Il suffit de citer pour exemple le champ des prérogatives de chacun dans l'institution.

Une autre lecture instructive de l'institution est celle des *rythmes* et des *alternances* : temps forts, temps morts, etc. Dans un même registre, nous proposons une lecture de l'intrication de ce que nous appelons les « dynamiques temporelles ». Par ces mots, nous entendons la représentation imaginaire que chacun peut avoir du déroulement d'un processus donné dans le temps. Ainsi, chacun véhicule une représentation de son évolution personnelle physique et mentale, et puis aussi de son involution inéluctable. Nous véhiculons une image de l'institution, de la famille, du pays : image ayant un passé, une problématique actuelle et un devenir pressenti. A chaque instant, nous effectuons une synthèse plus ou moins heureuse de ces dynamiques temporelles souvent divergentes. Quand il s'agit de l'institution, toute tentative de lecture doit tenir compte de l'image que nous en avons : nourrie du passé, enrichie du présent et porteuse d'un certain avenir. L'adéquation relative de ces dynamiques temporelles, portées par chacun de nous sur l'institution, pourrait s'appeler « projet collectif », mais elle est aussi condition d'un minimum de possibilité de lecture.

Non sans rapport avec la notion du dedans-dehors, nous proposons une lecture de l'identité imaginaire de l'institution (imaginaire individuel et imaginaire partagé). C'est la question de la flexibilité aux variations en deçà de la rupture. Dans l'imaginaire, à partir de quel moment l'institution cesserait-elle d'être elle-même ? A la suite de la mobilisation d'une variable importante, quels sont les changements concevables sans perte d'identité ?

Autre image de la cinétique interne de l'institution : la propagation et le retentissement de ce qu'on pourrait appeler une onde de choc, en l'occurrence un incident interne ou une agression extérieure. De même qu'en thérapie familiale on peut parler de « familles enchevêtrées », avec un large retentissement d'un événement individuel, ou au contraire de familles désengagées, avec un faible retentissement de l'incident individuel, on peut, dans une certaine proportion, appliquer ces concepts à l'institution.

Bien d'autres figurations du fonctionnement institutionnel sont envisageables, par exemple en s'attachant à la circulation de l'information. Ainsi : modalités d'entrée d'une information dans le système, élaboration *in situ*, modes de transferts et circuits de l'information, circuits officiels et circuits occultes, modalités de stockage, de rétention, de libération, d'écoulement de l'information en fonction des réseaux ou de son contenu. Par exemple, enrichissement, appauvrissement, déformation de l'information, fonctions de certains personnages dans ces phénomènes selon leur statut, leur ancienneté, etc.

Quels que soient les modes de lecture retenus, ils s'inspirent tous plus ou moins des principes suivants :

— principe de base : replacer l'événement dans un champ d'interactions en partant de l'hypothèse que l'événement est, à ce moment-là, la réponse quasi nécessaire à un contexte dont il faut trouver les particularités ;

— au-delà du geste, chercher à découvrir la figure de ballet ; au-delà des actes, la règle du jeu ;

— loi du détour et du recadrage : éviter les pièges de séquences logiques développées à partir d'une grille explicative préfournie (idéologique par exemple) ;

— on préférera le rapprochement systématique de faits simultanés même s'ils n'ont pas d'autres liens apparents. Par exemple, l'absence insolite d'un soignant lors d'une activité habituelle pourra être analysée avec lui en rapprochant sans *a priori* d'interprétation psychologique non seulement les événements des séquences d'interaction sociale précédentes mais aussi toutes les séquences suivantes, c'est-à-dire toutes les retombées entraînées directement ou indirectement par cette absence :

— privilégier l'effet figure-fond : quelle est la mosaïque où pourrait s'inscrire ce fragment ?

— rechercher une compatibilité de dynamiques apparemment contradictoires ;

— traiter les faits comme ayant des fonctions qu'il faut retrouver : fonction de remaniement des équilibres et des interactions, fonction du discours intentionnel ou non et diversement entendu, fonction économique ou écologique dans un fonctionnement global au service d'une homéostasie, d'une évolution ou d'une crise.

Les trois temps d'une démarche systémique seraient :

— d'établir des rapprochements, des liens en dehors d'une logique préfournie, mais plutôt à partir de la redondance ou de la simultanéité ;

— de faire ressortir des fonctions qui expliquent ces liens insolites ;

— de progresser vers des fonctions plus complexes, règles ou lois en utilisant la progression suivante : un fait donné, pris comme un symptôme qui permet de dégager des fonctions ; celles-ci, prises elles-mêmes comme de nouveaux faits symptomatiques, donneront lieu à de nouvelles recherches sur leurs propres fonctions. On progressera ainsi du particulier au plus général. Par exemple un oubli dans la transmission de l'information risque d'entraîner un conflit institutionnel. Une des fonctions de ce conflit consisterait en la mobilisation des soignants pour une réunion. Si nous traitons la réunion à son tour comme un symptôme et que nous en recherchions les fonctions, l'une de celles-ci pourrait avoir comme aboutissement la redéfinition des structures. Cette redéfinition des structures s'inscrira elle-même dans un contexte de menaces portées de l'extérieur sur l'institution. Elle aura pour fonction entre autres de contrecarrer ces menaces. A la lumière de cette analyse, l'épisode initial prend une coloration différente.

En résumé, le recadrage préconisé consiste :

— *à sortir un élément donné d'un enchaînement logique*, où il avait sa place traditionnelle, soit en référence à une dynamique individuelle (logique des pulsions, des intérêts, des projets, etc.), soit en référence à des systèmes sociaux ou idéologiques préexistants ;

— *à replacer cet élément dans un autre contexte logique*, non évident d'emblée, construit ex-temporairement et consistant pour les intéressés.

Pour ce faire, il faut retarder la démarche interprétative, laquelle se fait en fonction de schémas connus, ceux-ci provoquant eux-mêmes des divergences et faisant l'objet de résistances déjà élaborées. Les modes de lecture à tonalité idéologique ou renvoyant à une problématique personnelle seront volontairement refusés. Par contre, on utilisera plus volontiers des paramètres d'investigations, riches de significations, mais peu connotés d'avance dans un système de valeurs. Deux exemples :

Autour de l'espace

— recherche d'une géographie non structurale de l'institution ;

— rapports de l'espace physique et de l'espace d'interactions ;

— recherche d'itinéraires ;

— espaces et fréquences d'interactions (constantes et variables) ;

— la fourmilière vue d'avion ;

— les frontières et l'osmose avec l'extérieur.

Autour du temps

— étude des différentes dynamiques temporelles ;

— rythmes, ruptures, scansions, alternances ;

— interaction temps/espace : les figures du ballet.

On peut aussi ajouter : autour de l'information, des réactions au stress, du sociogramme, autour des personnages définis par certaines « fonctions » (gardien des traditions, go-between, historiographe, facteur, garde-frontières, etc.).

Fonctions de la lecture

Le moment est venu de nous interroger sur l'opération-lecture comme un phénomène institutionnel qui serait donc inscrit dans le système, avec des fonctions à découvrir.

La première qui nous est apparue est la fonction réductrice : toute lecture procéderait à une réduction « opératoire » du champ des perçus et des possibles. Nous reviendrons ultérieurement sur le terme « opératoire ».

Citons quelques types de réduction fréquemment rencontrés dans les descriptions institutionnelles :

— réduction par continuation idéale d'un processus prédéfini (exemple : l'expansion) ;

— réduction par élimination de variables ;

— réduction à la structure, à la fonction ou à l'histoire ;

— réduction « téléologique », prenant en compte non pas une causalité linéaire, mais une finalité linéaire, sans auto-organisation ni complexité ;

— réduction par amplification de variables (exemple : les lectures psychologisantes ou politiques) ;

— réduction par analogies et généralisations ;

— réduction à la seule complexité, qui, elle-même, aboutit à négliger certains aspects organisés. En lisant toute situation en termes de « fourmillement », désordre ou complexité, on élimine de la lecture certaines grandes lignes « directrices » qu'une autre lecture aurait révélées.

On n'échappe donc pas à la réduction. Encore faut-il la reconnaître et la dénoncer, selon qu'elle privilégiera le sens, l'histoire, l'économie, l'idéologie, les interactions, etc. Cela pour insister sur le fait que la lecture institutionnelle systémique n'approchera pas plus qu'une autre « la » vérité de l'institution, mais qu'elle pourra en éclairer quelques aspects utilisables.

La seconde fonction de la lecture (institutionnelle ou non) qui nous retiendra ici est son finalisme. Toute lecture, surtout celle de l'institution, est porteuse d'autre chose que d'un simple examen : il existe des lectures/projet, des lectures/changement, des lectures/menace, des lectures/pouvoir, des lectures/identité, des lectures/bilan, etc.

Il n'existe pas de lecture partagée de l'institution qui n'implique des *finalités* ; à l'inverse, il ne peut exister de finalités claires sans lecture réductrice. La lecture est déjà projet, le projet suppose la lecture.

Le problème demeure du choix d'un ou de plusieurs types de lecture et de leur articulation.

Prenons des exemples extrêmes. Une lecture univoque privilégiant l'aspect pragmatique immédiat sera souvent réductrice (« le problème est simple, il n'y a qu'à »). Comme telle, elle pourra n'être que difficilement acceptée par l'ensemble des intervenants de l'institution et se verra opposer d'autres lectures aussi réductrices.

Par contre, une lecture sémantiquement plus riche, privilégiant la complexité, fera par sa richesse même plus facilement l'objet d'un consensus, mais sa complexité même interdira des applications pragmatiques simples et rapides.

Dès lors, la question n'est plus de savoir si la lecture institutionnelle systémique est le bon appareil photographique pour accéder à la vérité de l'institution (pour notre part, nous préférons l'analogie du « zoom » à celle du microscope ou même du « macroscope » de Joël de Rosnay). La question sera plutôt : de quel appareil les gens concernés entendent se doter pour mener à terme leurs projets ?

Comme le projet va s'éclairer au fur et à mesure de la lecture, c'est l'appareil qui doit lui aussi être évolutif, faute de quoi il manquera son objet mouvant. L'appareil de lecture est lui-même un phénomène institutionnel, il faut qu'il puisse se lire lui-même et évoluer en fonction du projet qu'il éclaire. Ce paradoxe est-il réalisable dans une institution comme il l'est dans le cadre d'une thérapie familiale ? Le recours à un observateur étranger à l'institution n'est pas sans poser des problèmes : problème du mandat et problème du projet de l'institution en particulier. La construction de la « fiction opératoire » qu'est une lecture systémique, implique à nos yeux que tous les participants puissent mandater l'observateur pour une tâche précise. D'autre part, nous avons avancé que toute lecture est pour nous un projet et cela suppose que l'observateur s'inscrive en toute clarté dans ce projet. Voilà qui nous amène à la définition de l'« observatoire systémique institutionnel ».

Observateur ou observatoire : le lieu de la lecture systémique dans l'institution

Nous avons défini la grille de lecture systémique institutionnelle comme devant répondre à un certain nombre de critères : elle ne doit pas être conçue comme l'accès à la vérité de l'institution, mais comme l'un des éclairages possibles dont on sait le pouvoir réducteur.

Elle doit être conçue comme dépendant d'un contexte et d'un projet précis et doit être réajustable.

Elle doit permettre une compatibilité avec d'autres systèmes de lecture et ne pas s'y substituer totalement.

Elle doit situer sa conceptualisation dans un champ non connoté d'avance dans un système de valeurs : elle n'est pas liée exclusivement à un système de valeurs, même si elle ne saurait s'abstraire totalement de ces valeurs.

Elle constitue plutôt une « fiction opératoire », un instrument construit ex-temporairement. Une sorte de montre jetable, pourrait-on dire.

Ces préalables posés, cette grille peut-elle n'être accessible qu'à un individu, interprète, analyste systémique, spécialiste ou grand-prêtre de la connaissance systémique ? Et, même, peut-elle être un instrument dans les mains d'un groupe limité ?

En affirmant que cette lecture est opératoire, on a déjà répondu aux questions précédentes. Si l'appareil est utilisé par un spécialiste unique ou par un groupe limite d'intervenants, à notre sens ce ne peut être que dans le cadre d'un contrat précis et explicite, sinon cette lecture revêtirait les caractères d'un savoir confisqué au service d'un pouvoir occulte. La position latérale de l'analyseur systémique en marge du pouvoir en place risque aussi de lui confier le rôle d'éminence grise, de commissaire politique, ce qui nous paraît aller à l'encontre du but recherché.

En fait, le problème posé par un analyseur systémique hypothétique est le même que pour les autres types de lecture : quels moyens l'appareil en place peut-il se donner pour s'analyser lui-même ? En thérapie familiale, la cothérapie, le contrôle et même la vidéo permettent de prendre une distance difficilement concevable dans la vie institutionnelle. Pourtant, nous restons persuadé que la lecture systémique, à certaines conditions, apporterait des bénéfices incontestables.

Une ébauche de solution serait peut être donnée par un fonctionnement basé sur une information largement diffusée et faisant l'objet d'un consensus ou, à défaut, d'un travail d'analyse systémique sur contrats ponctuels, limités dans le temps et dans les objectifs et dès lors rendant possible le travail d'un groupe provisoire ou l'intervention d'un référent extérieur.

Ainsi pourrait-on faire en sorte que la lecture systémique échappe au totalitarisme qui guette tous les savoirs.

4

L'INSTITUTION COMME SYSTÈME : UNE PERSPECTIVE AUTORÉFÉRENTIELLE À PARTIR DE LA CRISE DE L'INTERVENANT

Luigi ONNIS

La critique de la position du thérapeute systémique travaillant en institution, en tant que « technicien de la thérapie de famille », ne provient pas seulement du fait que celle-ci serait réductrice et inefficace. Disons que, sur le plan conceptuel, cette position est critiquable. En effet, elle prétend que le thérapeute pourrait se ménager un « petit espace » absolument neutre, et qu'il pourrait, d'une façon ou d'une autre, se considérer comme extérieur et étranger à ce qui *arrive* dans l'institution et à ce que l'institution *est*.

Cette conception suppose qu'un thérapeute-observateur choisirait une position distanciée, extérieure à la réalité observée, qu'il la décrirait « objectivement » comme s'il n'en faisait pas partie. Selon cette conception, encore inspirée de la première phase de la cybernétique, une description systémique de l'institution met surtout l'accent sur l'homéostasie institutionnelle. Mais si le thérapeute se place à l'intérieur de la réalité observée, en adoptant une perspective autoréférentielle, il découvre, d'un côté, des éléments personnels de crise et, de l'autre côté, des potentialités de transformation institutionnelle. L'expérience italienne donne un exemple clair de ce changement institutionnel discontinu, à travers les phases de stabilité et d'évolution. Je me propose de développer les trois points suivants :

— l'homéostasie rigide de l'institution dans la perspective de la première cybernétique ;

— la crise de l'intervenant et la possibilité évolutive dans une perspective autoréférentielle ;

— l'expérience italienne : changement discontinu où se succèdent amplification de la transformation et phases d'état.

Homéostasie rigide de l'institution dans la perspective de la première cybernétique

L'institution est vue comme un système gouverné par des règles rigides et stabilisé dans un état homéostatique, état qu'elle a tendance à conserver par la neutralisation de toute déviation. Le maintien de cette homéostasie se fonde dans les renforcements circulaires qui existent entre les deux niveaux institutionnels correspondant à ce que Philippe Caillé [2] appelle, dans les couples et les familles, les niveaux « mythique » et « phénoménologique ». Le niveau mythique, c'est la représentation que l'institution se donne d'elle-même en tant qu'institution qui « soigne » la maladie mentale. En somme, une institution qui redonne équilibre et santé. Le niveau phénoménologique est constitué par les relations quotidiennes à travers lesquelles, dans le sens médico-pharmacologique, s'exprime la pratique du traitement. Chaque composante institutionnelle contribue à renforcer circulairement ces deux niveaux :

— les administrateurs, garants de l'image de l'institution et dépositaires de l'idéologie médicale dont elle s'inspire ;

— les travailleurs qui la confirment dans leur pratique en vue de renforcer leur propre rôle ;

— les patients dont la demande se conforme aux prestations médicales du service, parce que toute critique de la logique de l'institution serait aisément disqualifiée et interprétée comme une expression de désordre mental.

Selon cette conception, tout est lu en termes d'homéostasie. Il ne reste que peu d'espace pour les processus de changement. La définition en termes de maladie par laquelle l'institution conserve homéostatiquement sa pratique et son image, coïncide parfaitement avec les exigences homéostatiques du patient et de sa famille. Les deux tendances ne peuvent que se renforcer l'une et l'autre. Dans ce sens, l'institution, comme le service, n'est plus qu'un « reproducteur de dysfonctionnalité et de pathologie ».

Crise de l'intervenant et possibilité évolutive dans une perspective autoréférentielle

Qu'arrive-t-il si l'intervenant, abandonnant sa position « externe », se place dans la réalité institutionnelle comme coresponsable et coparticipant de sa construction ? Qu'arrive-t-il si, selon la seconde cybernétique, le système institutionnel *comprend* l'intervenant et devient pour cette raison un système *autoréférentiel* et *auto-observant* ?

Si l'intervenant qui adopte cette attitude se place *dans* l'institution, il rencontrera sa *propre crise*. Cette crise naît de l'évidence du paradoxe où se trouve l'intervenant. Que dit ce paradoxe ? D'un côté, l'image de l'institution — et la représentation qu'il s'en donne — lui est proposée comme « thérapeutique », tandis que, d'un autre côté, les effets de ses pratiques quotidiennes reproduisent récidives et chronicité. Pour supprimer la crise, il ne reste plus à l'intervenant que cette tentative extrême : se replacer en dehors de la réalité qu'il observe, adopter une logique linéaire et projeter le problème hors de lui-même. « C'est la maladie qui est incurable », dira-t-on... Vieil escamotage de la psychiatrie traditionnelle ! Cependant, en agissant de la sorte et sans s'en apercevoir, le travailleur de l'institution tombe dans un paradoxe plus grave encore : « Comment puis-je avoir une ''fonction soignante'' si les maladies que je dois affronter sont incurables ? »

Il est impossible de sortir de la crise si l'on reste dans cette perspective autoréférentielle. L'existence d'un élément de crise démontre cependant que l'institution n'est pas aussi rigidement et inexorablement homéostatique que la première cybernétique voulait nous le faire croire.

Si l'intervenant adopte une attitude « autoréflexive » face à cette crise, il découvrira que celle-ci démontre que l'institution ou le service peuvent prendre la forme de systèmes « hors de l'équilibre », selon la terminologie de Ilya Prigogine [6], systèmes qui seront plus utilement examinés selon un *modèle systémique évolutif*. La rencontre d'éléments de crise dans la réalité institutionnelle signifie en effet la découverte de « fluctuations », de « désordres locaux » amplifiés même jusqu'à produire des « bifurcations ». Hérité de la physicochimie, ce terme de bifurcation nous paraît tout à fait adéquat. La crise, en effet, est un point de bifurcation du fait qu'elle a devant elle plusieurs chemins, plusieurs domaines du possible, plusieurs potentialités. Certes, elle peut régresser dans un sens homéostatique et prendre chez l'intervenant la forme d'une dépression, voire d'une déclaration d'impuissance. Mais elle peut aussi se développer dans un sens évolutif, c'est-à-dire vers une recherche de nouvelles modalités de travail qui, en ouvrant des perspectives de changement, se refléteront sur la réalité institutionnelle et sur les usagers (L. Onnis [4]).

La crise de l'intervenant réside précisément dans cet aspect aussi diffus que subjectif : elle est l'expression tellement spécifique mais aussi tellement récurrente de l'histoire de sa relation avec l'institution, composante du système-institution, que nous appellerons avec Mony Elkaïm [3] la « singularité » du système-institution. C'est à partir de cette crise qu'aujourd'hui déjà, il est peut-être possible d'entrevoir les éléments potentiels d'un changement des institutions et des services vers de nouvelles « constructions de la réalité » à la physionomie et aux caractéristiques encore imprévisibles.

L'expérience italienne : changement discontinu où se succèdent amplification de la transformation et phases d'état

L'amplification du processus de transformation jusqu'à ce que l'institution psychiatrique dans sa globalité soit concernée, serait bien évidemment l'hypothèse la plus souriante. Pour y arriver, il faudrait que l'institution elle-même dans sa totalité se voie agir à l'intérieur du contexte qui la comprend. Il faudrait qu'elle soit en mesure de s'observer comme partie active et déterminante dans la construction de la réalité, objet de sa propre observation.

C'est cela qui s'est produit au cours des expériences italiennes qui ont entraîné la fermeture des hôpitaux psychiatriques, même si dans ces expériences et les changements qu'elles ont provoqués, la prise de position politique a été plus importante que la réflexion systémique. Il n'est cependant pas sans intérêt du point de vue systémique de constater que le changement institutionnel s'est actualisé lorsque l'institution a pu s'observer comme partie intégrante de son propre contexte d'observation. Il en est de même, lorsqu'elle a pu critiquer sa propre fonction dans le contexte social, se découvrant institution qui justement contribue à produire et à maintenir la maladie que, précisément, elle aurait dû combattre. Le changement institutionnel naît de là : on ferme les hôpitaux psychiatriques et l'on crée des services décentralisés sur tout le territoire.

Mais l'exemple italien, analysé dans une perspective systémique, offre d'autres sujets de réflexion. Ainsi voit-on qu'après la vigoureuse poussée au changement, succède une phase de stase. Dans les nouveaux services territoriaux sourd une incertitude : ils sont tout autant capables de reproduire la logique médicalisante de l'hôpital psychiatrique que d'apporter à la souffrance des réponses différentes et plus proches des besoins que cache cette souffrance (L. Onnis et G. Lo Russo [5]).

Devant cette alternative, nous retrouvons la « crise de l'intervenant ». Mais justement, la « crise », c'est l'ouverture d'alternatives ! C'est l'indice, dans le « système-service », de l'existence de fluctuations et de nouveaux points de bifurcation capables de produire de nouvelles amplifications et de donner le départ pour des changements ultérieurs.

Et si, au lieu de mettre à plat le système-institution comme un mécanisme d'autorégulation, sans notion d'un temps réorganisé à l'infini autour de la même homéostasie, on introduisait dans le système institutionnel la dimension diachronique du temps, nous réussirions à interpréter ce qui s'y passe en termes de « processus évolutif » progressant « par changements discontinus » (cf. I. Prigogine [6]). Mais alors, les points d'arrêt apparents et les phases d'état du système ne seraient pas les signes d'un retour répétitif à une insurmontable homéostasie : ils seraient les expressions de ce changement discontinu. Nous voyons des homéostasies si nous nous voyons immuables. Nous voyons le changement si *nous nous voyons dans le changement*.

Et revoici notre logique *autoréférentielle* ! Nous, travailleurs des institutions, devons récupérer cette logique et cela pour une raison extrêmement importante. Les réalités institutionnelles qui se construiront à partir de notre « crise » seront en étroite relation avec ce que *nous* aurons investi dans cette crise et avec notre contribution à la coconstruction simultanée de l'évolution personnelle et des débouchés institutionnels.

Arrivés à ce stade, nous dirons que ce qu'il faut vaincre avant tout, c'est le sentiment de notre impuissance. L'important est d'éviter de tomber dans le « fatalisme » dont parlait Grégory Bateson [1]. Si d'avance, on considère que la réalité ne peut être modifiée, on agira sur elle pour qu'elle soit « telle » qu'on l'avait considérée.

Des siècles durant, les asiles d'aliénés ont été fondés sur ce fatalisme. Aujourd'hui encore, pour nous, travailleurs des institutions, l'ennemi à abattre n'a pas changé.

RÉFÉRENCES BIBLIOGRAPHIQUES

[1] BATESON G., *Vers une écologie de l'esprit*, t. I et II, Paris, Le Seuil, 1977, 1981.

[2] CAILLÉ P., *Familles et thérapeutes*, Paris, ESF, 1984.

[3] ELKAÏM M., « Des lois générales aux singularités », *Cahiers critiques de thérapie familiale et de pratiques de réseaux*, 7, 1983, p. 111-120.

[4] ONNIS L., « Crise et systèmes humains : influence de l'intervention thérapeutique sur la définition et l'évolution de la crise », *Cahiers critiques de thérapie familiale et de pratiques de réseaux*, 8, 1988, p. 73 à 82.

[5] ONNIS L., Lo RUSSO G, *Dove va la psichiatria ?*, Milan, Feltrinelli, 1980.

[6] PRIGOGINE I., « L'ordre par fluctuations et le système social » dans l'idée de régulations dans les sciences, Paris, Maloine, 1977.

Deuxième partie

APPROCHE SYSTÉMIQUE
ET RÉALITÉS INSTITUTIONNELLES

5

COMMENT PRESCRIRE LE SYMPTÔME DANS L'INSTITUTION ?

Jean-Claude BENOIT

Partons de cette phrase simple et dense de Gregory Bateson : « L'explication de type cybernétique est toujours négative. » (*VEE*, II, p. 155.) L'explication cybernétique introduit dans notre réflexion les notions d'erreur et de correction par l'erreur. Explorons ce thème avec un souci égal de simplicité.

Généralement dit, le modèle cybernétique, circulaire, se fonde sur le fait du feed-back négatif, lequel freine tout changement. Ainsi, dans un système, le feed-back négatif dessine une zone d'organisation et une zone de rejet. Cette dernière est quantitativement très importante puisqu'elle écarte tout ce qui est hors du système créé. Dans l'application de la cybernétique aux systèmes humains, l'action du feed-back négatif dessine ainsi deux zones : une zone d'*auto-organisation* et une zone de *rejet*. L'*épistémologie écosystémique batesonienne* a confirmé cette description fondamentale dans différents champs éthologiques et anthropologiques.

L'auto-organisation relationnelle constitue le premier élément spécifique de nos systèmes humains. Une nouvelle donnée apparaît : le maintien dialectique d'une interaction entre la zone d'auto-organisation dessinée et la zone de rejet. Dans les systèmes humains fonctionnels, l'interaction entre le positif et le négatif se réalise souplement. Elle facilite les processus de changement significatif : différenciation et croissance. Dans les systèmes humains dysfonctionnels, la difficile relation dialectique entre l'auto-organisation et le négatif crée des obstacles à la croissance et induit soit l'hyper-stabilité sans changement, soit le chaos catastrophique. Cela s'exprime par la présence épuisante de paradoxes, d'injonctions paradoxales et de doubles liens, que nous connaissons tous dans nos institutions.

Le travail clinique de type écosystémique conduit à diverses hypothèses concernant les systèmes humains dysfonctionnels, ceux en particulier dont notre rôle est de nous occuper.

1. Ce sont eux qui conduisent à créer ces institutions répondant à leurs crises aiguës ou chroniques, et qui sont destinées à résoudre les problèmes relationnels posés par leurs patients désignés lors de leurs crises. Ce sont nos institutions, nos patients et leurs familles.

2. Nos institutions ont des analogies de dysfonctionnement avec la thématique du rejet concerné : les hôpitaux des fous sont des hôpitaux fous ; les institutions de la déviance sont des institutions déviantes, etc.

3. Rejetées dans une zone marginale avec leurs clients, nos institutions sont encore soumises aux exigences des systèmes sociaux restés fonctionnels, mais elles sont en général dans l'incapacité d'adopter les modèles souples de ces systèmes fonctionnels.

4. De fait, nos institutions de la dysfonctionnalité sont obligées de créer leurs propres modèles et leurs solutions. Elles assument l'obligation de se confronter activement au négatif qui les envahit.

L'hypothèse écosystémique, semble-t-il, est qu'il *faut prescrire le négatif dans le négatif*. Ceci pourrait apparaître comme un sophisme, un syllogisme ou une hypothèse absurde et confuse, et pourtant se révèle en pratique fort intéressant. De plus, nous constatons qu'il *s'agit là d'une règle assez générale en psychothérapie*. Les exemples ne manquent pas : le plus célèbre est l'utilisation du rêve pour la levée du refoulement.

Les institutions dont nous parlons ici et dont nous sommes des employés, ont pour caractéristique cette irrationalité paradoxale de leur rôle. Zones négatives créées par l'hyperfonctionnalité technocratique du monde moderne, elles ont l'obligation d'organiser les liens confus qui répondent au rejet familial et social des patients désignés. Grâce à nous, certaines familles et certaines instances sociales maintiennent une fonctionnalité relative. Le plus évident des paradoxes de notre tâche dans ces lieux d'accueil de l'aliénation de la marginalité est celui qui unit le *contrôle* et le *soin*, c'est-à-dire, par analogie, l'homéostasie et la croissance.

Dans ces zones négatives, notre rôle consiste, en effet, à remplir ce double but souvent contradictoire : 1) contrôler les troubles du comportement des sujets en crise relationnelle, insupportables à leur environnement ; 2) soigner ces mêmes individus, et même les réinsérer dans le milieu qui les rejette (J. Haley [1]). Seule, une théorie moderne de la communication peut certes nous tirer d'affaire, nous rendre quelque peu efficaces et nous permettre de survivre dans ces univers professionnels paradoxaux.

Le métamessage :
« Ceci est un symptôme relationnel extrême »

Nous devons à Jay Haley une définition précise du symptôme psychiatrique ou social tel que le conçoit la théorie de la communication. Cette définition déborde largement les aspects médicaux ou mentaux, en soulignant les aspects interactionnels. Elle constitue une valeur commune entre nous tous, psychologues, travailleurs sociaux, membres d'équipes psychiatriques, ou médecins, dans nos institutions si diversifiées de l'intervention psychiatrique, ou médicale, ou sociale. J. Haley [2] a écrit : « Du point de vue de la communication, deux types de phénomènes doivent être présents pour qu'un symptôme psychiatrique soit vraiment un symptôme ; le comportement du patient doit être extrême (excessif) dans une influence sur quelqu'un d'autre et le patient doit indiquer de quelque façon qu'il ne peut s'empêcher de se comporter comme il le fait. »

Soulignons quelques points à propos de cette définition :

— la nature essentiellement interactionnelle du symptôme ;

— la présence d'un métamessage simultané au message. Le métamessage se traduirait par la formule : « Je vous précise que ceci est un symptôme relationnel et qu'il est extrême » ;

— l'aspect comportemental prévalent très marqué du symptôme (et, en tout cas, des symptômes qui concernent nos institutions et notre rôle professionnel) ;

— enfin l'extension possible de cette définition à la grande diversité de nos professions (un adulte maniaque agité ou un nourrisson en situation de risque vital ont à peu de chose près la même compétence pour exprimer de tels appels à l'intervention, les conduisant vers nos zones de contrôle et de soin). Qu'il s'agisse de l'hôpital psychiatrique ou de la Protection maternelle et infantile, par exemple, l'appel comportemental extrême déborde les capacités du milieu. Il exige donc la réponse institutionnelle. Le système familial a participé à la création d'un symptôme qui, finalement, le déborde.

L'identification du métamessage, « ceci est un symptôme relationnel extrême », nous situe sur le terrain désormais solide de la théorie de la communication et de ses origines écosystémiques et familiales. Elle nous rappelle la découverte par G. Bateson du métamessage paradoxal : « Ceci est un jeu », observé déjà dans des espèces animales, loutres, singes, marsouins par exemple. Ou encore : la différence entre la vraie morsure et le mordillage. Ou l'exemple éthologique classique du combat des loups : le loup plus faible indique son renoncement dans la lutte vitale en exposant sa gorge, partie la plus vulnérable de son corps.

Cet abandon à la faiblesse du symptôme que souligne l'indication « Ceci marque ma défaite » ou dans le milieu humain « Ceci est un symptôme relationnel extrême », signifie une demande comportementale d'aide. Nos métiers — notre emploi professionnel — impliquent notre reconnaissance de cette demande complexe et confuse, trouble comportemental franc — métamessage — demande d'aide paradoxale.

Il faut ajouter à ceci une réflexion concernant le contenu du message. Il existe, en général, un lien analogique étroit entre le thème du message, une *valeur* et son opposé, une *contre-valeur*. Dans l'exemple éthologique du combat des loups, le thème est la prééminence dans le groupe. Le vaincu et le vainqueur s'accordent finalement grâce à l'expression dramatisée de sa faiblesse par le vaincu. Le combat s'arrête lorsque cette faiblesse est clairement assumée. Dans le négatif de la faiblesse reconnue se trouve la solution non mortelle au combat et le triomphe manifesté du plus fort. Cela se déroule devant un public sans doute très attentif. La valeur indique donc le juste pouvoir du plus fort. La contre-valeur est la contestation toujours possible de ce pouvoir.

Les relations de double désignation

Les analogies que nous pouvons évoquer à propos de tels faits constituent pour nous des modèles conceptuels et pragmatiques. Leur circularité interactionnelle et leur sens écosystémique retiennent notre attention. La linéarité et la technicité très marquée de nos formations professionnelles initiales nous entraînent par contre dans une confusion angoissante où l'explication purement technologique du symptôme le prive de tout sens relationnel. Les modèles de la théorie de la communication nous apportent une plus grande clarté. Nous trouvons en eux l'oxygène qui nous manque dans une ambiance devenue irrespirable, car constamment vouée aux idées frustes et aux résultats aveugles et limités.

Rappelons à nouveau ces analogies qui nous aident : 1) nous essayons de travailler et d'agir dans des situations et des ensembles interactionnels ; 2) là, nous répondons à des crises qui sont en train de déborder les ensembles interactionnels familiaux puis sociaux. Ceux-ci nous transmettent non seulement les résultats de leurs échecs — les *patients désignés* — mais aussi les modèles avec lesquels ils ont échoué ; 3) nous sommes donc inclus dans le fonctionnement de ces groupes dysfonctionnels avec leurs modèles d'action inappropriés.

C'est ce que l'on peut préciser par l'expression de « *relations de double désignation* ». Nous avons accepté d'être désignés par la société pour nous occuper de patients désignés eux-mêmes comme tels par leur écosystème.

Nous nous rallions à l'hypothèse écosystémique que les patients désignés reflètent les difficultés évolutives de ces groupes familio-sociaux. Nous constatons que l'excessivité des troubles des patients constitue leur forme d'appel à notre intervention. Nous découvrons un sens dans le contenu absurde des symptômes, contre-valeurs opposées aux valeurs du groupe concerné. Nous utilisons cette compréhension comme voie d'abord simultanée du patient et de sa famille, dans un éclaircissement à la fois de l'individuel et de l'interactionnel.

Notre choix idéologique de la circularité systémique va nous inclure, consciemment et volontairement, dans l'ensemble en crise. Acceptant notre situation de fait au sein des crises, nous abandonnons la solution de rejeter la crise et de plier le patient à une forme prévalente de contrôle. Nous assumons la situation critique en tant que coparticipants dans des rôles soignants inclus dans la circularité. Pour que puisse être créé un système thérapeutique avec la famille en crise et le patient désigné, nous devons accepter la crise et le symptôme. Nous devons nous confronter lucidement et activement avec le négatif. Nous devons prescrire le symptôme dans l'institution. Comme le dit Mara Selvini, on ne peut pas travailler dans un système que l'on a préalablement condamné. Ou, comme le disait avec humour G. Bateson, la prescription du symptôme constitue le plus vieux truc de la psychothérapie : « Venez me montrer votre symptôme lundi de 16 h à 16 h 45 », telle est la prescription paradoxale qui tient compte à la fois du pouvoir du symptôme et du rôle de l'individu dans cette expression négative.

Un paradoxe intéressant : le négatif inclut l'anticipation

Inévitablement, nous heurtons les buts homéostatiques de l'institution, c'est-à-dire son obligation sociale de contrôle des comportements.

Le macrosystème institutionnel existait avant notre propre recrutement parmi ses soignants. Il nous domine de toute sa force administrative. Pour progresser dans des tâches de soins systémiques, nous allons nécessairement mettre en cause les compromis familio-sociaux qui ont créé chacune de nos institutions. Nous allons devoir trahir les liens institutionnalisés qui permettent classiquement de contrôler les symptômes des patients. Comme dans un mélodrame, en nous opposant au but institutionnel, nous devenons des traîtres (parmi tous ces traîtres qui se trahissent entre eux : la famille qui livre le patient désigné à l'institution ; le patient désigné qui révèle de façon contestataire les valeurs familiales ; l'institution qui trahit sa tâche de soin au profit de sa tâche de contrôle). Comment assumer ceci, sans devenir soi-même bouc émissaire de toutes ces tensions déjà existantes et ainsi déchaînées ?

Des expériences montrent que cela peut se faire, depuis Palo Alto (1956). Il existe quelques recettes ; nous les évoquons plus loin. Nous devons faire à notre tour l'effort conceptuel nécessaire ; tout ce qui a été déjà dit sur le négatif et sur le symptôme, au sens systémique de ces termes, va nous aider.

Tandis que je commençais à peiner pour rédiger ce texte, il m'est venu une assez étrange image ; il s'agissait d'un *petit fœtus humain de quelques centimètres*, avec sa grosse extrémité céphalique disproportionnée et ses deux ébauches oculaires gonflées. Cet être est à la fois merveilleusement beau et très laid, infiniment puissant et infiniment faible, à l'extrême opposé de l'humain et pourtant à son origine. Cette image me rappelle qu'une notion peut nous aider ici. Il s'agit de l'*anticipation*, devenir qui peut s'éteindre ou qui peut s'épanouir.

Le fort contraste entre le négatif et le positif a rejoint tout ce que m'a appris sur cette notion d'anticipation, depuis des années, mon collègue et ami, psychiatre psychothérapeute uruguayen, Mario Berta. Le psychiatre français Jean Sutter a également poursuivi des études sur ce thème essentiel en psychothérapie, l'anticipation. Pour J. Sutter, l'anticipation « c'est la vie avant la vie ». Pour M. Berta, c'est « l'actualisation d'un futur prévisible ». Il s'agit d'une action d'aujourd'hui qui se situe lucidement dans l'axe de demain [3]. Mario Berta a créé un test d'anticipation, très utile dans la psychothérapie des névroses. Il demande au sujet l'apport d'images personnelles, prospectives, soit agréables, soit redoutées, c'est-à-dire en opposition dialectique : des images positives, idéalisantes, du devenir et des images négatives répulsives de ce même devenir, néantisantes. Ce que je désire devenir et ce que je refuse de devenir.

L'expérience montre que le travail psychothérapique, *en particulier avec les images négatives*, donne très couramment une ouverture originale, essentielle, vers le futur, chez le névrosé en crise existentielle. Mario Berta a nommé « instrumentation du mal » ce travail psychothérapique centré avec prudence et ténacité sur les images négatives de devenir. On ne peut mieux se rapprocher du thème de la prescription du symptôme. Le devenir naît d'un travail efficace avec le négatif. Nous l'avons déjà perçu tout à l'heure. Le neuf ne peut naître que du bruit, disent les cybernéticiens. La prescription du symptôme semble conduire au dépassement de la crise (la *chance* qui accompagne le *risque*) et à la reprise inespérée de la croissance.

La prescription du symptôme dans l'institution revient donc à prescrire les éléments d'un devenir redouté. Telle serait la clé. Toutefois nous devons l'utiliser avec prudence, respect et une forme d'humilité. Face à la folie des institutions, G. Bateson nous dit : « Le problème est systémique et la solution doit certainement dépendre de la prise de conscience de ce fait. En premier, existe l'humilité et je la propose non en tant que principe moral, ce qui rebute un grand nombre de gens, mais simplement comme un élément d'une philosophie scientifique. » (*VEE*, II, p. 194.)

Expériences positives d'emploi du négatif

Nous travaillerons plutôt dans toutes les zones d'ombre que l'ubris (l'orgueil) de l'institution nous abandonne. Habituellement, tout membre d'une institution est fasciné par la prise de pouvoir au niveau des relations. Jay Haley a bien décrit cette donnée générale. Exactement comme dans la famille du schizophrène, « le trait principal de l'institution psychiatrique est *une sorte de tristesse vague et bizarre qui cache, sous le vernis de l'espérance et des bonnes intentions, une lutte à mort pour le pouvoir, teintée d'une note permanente d'ambiguïté* entre le malade et le personnel » [4].

On nous laissera plus facilement nous occuper des contenus, des valeurs et des liens évolutifs. Notre loyauté vis-à-vis des relations entre les malades et leurs familles, à l'intérieur de l'institution, posera ainsi moins de problèmes, à partir de notre position basse, au contact de leurs possibilités subsistantes de devenir.

Notre recherche pragmatique concerne donc les trois types de participants directs des situations systémiques : les patients, les familles, les intervenants.

1) *A propos des patients*, nous évoquerons donc trois modes d'intervention pragmatiques, trois « recettes » qui semblent avoir fait leurs preuves.

La première consiste à prescrire dans la relation entre le patient, d'un côté, sa famille et des soignants de l'autre, une *rigidité organisationnelle maximale. En particulier, tout échange entre la famille et l'institution se déroulera en présence du patient. Il faut une prescription de rigidité à des familles et à une institution rigides. Ceci maintient le patient au centre du débat* [5]. Ainsi, celui-ci peut montrer, en séance, les éléments de son symptôme qui expriment les contre-valeurs familiales. Il peut aussi mettre en cause le postulat du contrôle institutionnel. Une zone de loyauté est créée autour de lui, expérience inhabituelle et féconde pour lui. Au lieu de trahir sa famille dans l'institution où celle-ci finalement l'a rejeté, il sert de guide dans un travail collectif sur tout ce négatif.

Une fois ceci bien appris — deutéro-apprentissage de G. Bateson — le système thérapeutique qui est en train de se constituer peut utiliser une seconde manœuvre : *confier au malade l'organisation des rencontres entre sa famille et l'institution*. Il s'agit bien de prescrire ce que l'on a appelé le leadership pathologique, sorte de prescription du pouvoir du plus faible et reconnaissance réaliste de sa compétence. C'est lui qui a fait se rencontrer la famille et l'institution ! Souvent, il faut attendre, transiger et laisser naître son vouloir si fragile. La maîtrise relationnelle du patient transite avec bien des hésitations du contexte de la crise et du trouble pathologique vers le contexte organisationnel nouveau. Une recette n'est qu'une recette. L'art du cuisinier et son expérience pratique font qu'elle réussit habituellement, mais non sans travail ni vigilance.

Un troisième appui pragmatique peut être découvert au niveau du langage analogique du patient. En suivant la remarquable découverte de Maurizio Andolfi et de l'école de Rome, on guettera les « objets métaphoriques » et en particulier ceux apportés par le patient à la séance, lorsqu'une « loyauté écosystémique » apporte un bénéfice de confiance. J'appelle ces objets « OMNIA », c'est-à-dire en latin « toutes les choses », sigle formé à partir de l'expression : « Objet Métaphorique Négatif Inducteur d'Anticipation » [6]. A première vue, tout cela étonne un peu. Mais l'étonnement s'accroît beaucoup lorsque le clinicien constate avec quelle fréquence les patients psychotiques apportent des objets étranges dans nos relations collectives conduites selon des principes écosystémiques. Il s'agit le plus souvent d'objets dérisoires, bizarres, répulsifs, pour tout dire *négatifs*. Tout se passe comme si nous nous interdisions de les voir.

Nous connaissons bien les objets autistiques à l'hôpital psychiatrique. Mais ces objets autistiques, poupées de chiffons et pseudo-jouets, sont morts. Nous savons aussi que nos institutions proposent de très nombreuses situations de médiation dans l'ergothérapie et cherchent à aider le patient à créer les éléments concrets, base d'un dialogue.

En revanche, OMNIA, apporté devant nous par le patient avec discrétion ou excès, nous ne le voyons pas. Sa négativité nous le cache, là sous nos yeux. Nous le vivons comme une injonction paradoxale confusionnante, dont notre volonté de lucidité va sacrifier le message, le sens, l'apport informatif et évolutif crucial pour le patient. Et pourtant, il s'agit toujours d'une proposition fraîche, actuelle, personnelle, de dialoguer à propos du thème qui nous intéresse, celui des relations familio-systémiques. Par contre, si nous nous prescrivons à nous-mêmes l'entrée dans ce négatif, avec prudence et considération, nous pouvons découvrir son pouvoir magique d'ouverture et d'anticipation.

Sans la notion et le test d'anticipation de Mario Berta, il m'aurait été impossible de voir OMNIA. Cette magie que nous trouvons dans l'objet métaphorique négatif, G. Bateson la définit à partir d'une phrase de l'écrivain Stevenson : « De toute façon, un fer à cheval fera aussi bien l'affaire. »

2. *Lorsqu'il s'agit de la prescription de son symptôme à la famille* dans l'institution, toute réflexion et toute pratique s'appuient sur la *connotation positive* de Mara Selvini Palazzoli. Cette manœuvre, authentiquement assumée, soutient un nombre considérable de nos interventions familio-systémiques. Donc, nous connoterons positivement l'intrusion de la famille dans l'institution. Nous reconnaîtrons du mieux possible la nécessité de cet apport de compétences et de présence familiales lorsque la crise est venue jusqu'à nous, dans le service psychiatrique. De l'intrusion à l'inclusion, ce sera toujours difficile, mais cette voie étroite est la seule qui permette l'entrée de la famille dans un système thérapeutique si facilement clos. Les entretiens collectifs en présence exclusivement du malade maintiennent la crise, mais éclairent également notre compréhension des originalités familiales — de ses « singularités » — , pour reprendre le terme de Mony Elkaïm. Guy Ausloos [7] a montré que les buts familiaux pouvaient être pris en charge par les tactiques de « double lien scindé », en particulier dans les institutions consacrées à la délinquance juvénile. Yveline Rey et les

praticiens du Centre pour étudiants de Grenoble utilisent également le « contre-paradoxe scindé » pour pallier la difficulté de confrontation entre l'idéologie institutionnelle et l'idéologie familio-systémique [8].

Au niveau du dispensaire de Santé Mentale pour Adultes, hors de l'hôpital, la liberté de chacun s'accroît beaucoup, ainsi que la complexité des manœuvres. Il s'agit alors de prescrire *l'esprit de négociation* [9]. Nous devons valider — tout en les enregistrant soigneusement — les démarches chaotiques particulières à chaque famille, les fausses demandes et la mauvaise foi exercée à notre égard. Nous savons que les relations triangulaires patient-famille-dispensaire se déroulent dans la plus grande incoordination. Prescrire ce désordre revient à constituer une équipe loyale à l'intérieur d'elle-même. Nous nous prescrivons une complexité égale à celle que la famille nous montre, compensée de notre côté par un réseau étroit et fiable de communication. Négocier avec la famille revient à lui prescrire *a priori* dans chaque cas un élargissement aussi étendu que possible des rencontres collectives. Plus nous obtiendrons d'informations, au dispensaire ou en visites à domicile négociées, plus nous serons à même de rester lucides dans ces prises en charge longues, hésitantes, et souvent porteuses de drames, parfois de tragédies.

Pour progresser, les praticiens systémiciens peuvent créer entre eux un groupe d'entraide conceptuelle et clinique. Cela leur est très utile. Le risque majeur qu'ils encourent est toutefois leur coupure du reste de l'équipe. Une négociation permanente doit porter sur ce point. Il leur faut enfin éviter de se prêter à la pression implicite des familles de leurs patients. La manœuvre familiale consiste toujours à se faire soigner à la place du malade. « Je vais faire enfin une vraie thérapie familiale », se dit le systémicien, et il recrute un cothérapeute pour se précipiter avec lui dans le piège. *Il oublie sa propre désignation de thérapeute d'un patient désigné dans une équipe et une institution désignées socialement comme zones de rejet.* « *Ici nous sommes des intervenants familiaux qui ne font pas de thérapie familiale* », telle est la devise que nous inscrirons sur nos portes. L'esprit de négociation reconnaît *a priori* les capacités évolutives spontanées des patients et de leurs familles face à des équipes cohérentes et qui s'intéressent de façon cohérente et réfléchie à leurs drames. Apparaissent alors des faits étonnants : un patient jamais venu ni vu lui-même au dispensaire va évoluer de façon positive grâce à des contacts de l'équipe avec certains membres de la famille ou, encore, une équipe systémique reste intégrée à l'équipe du dispensaire de secteur et crée de plus un lieu de thérapie familiale contractuelle hors de ce lieu communautaire.

La prescription paradoxale du négatif au sein de l'équipe

Envisager celle-ci paraît tenir de l'absurdité. Et, pourtant, ne faut-il pas justement aborder l'absurde ? Essayons brièvement de poser plus clairement cette question.

Voici, par exemple, des obstacles courants.

L'idéologie de toute équipe est *communautaire*, c'est-à-dire qu'elle privilégie les liens internes. Elle fonctionne d'autant mieux que ses membres communiquent aisément entre eux, avec loyauté et bonne foi. De plus, dans un système humain, tout acte, même préparé par un groupe, est toujours porté et mis en œuvre par un individu précis. Quand celui-ci prescrit la crise, il se met en position de *bouc émissaire*, facilement disqualifié.

Enfin, les rôles et les statuts définissent étroitement les pouvoirs de chacun dans l'institution et limitent les capacités de changements relationnels. Il s'agit d'inventer à chaque moment et devant chacun de ces obstacles des recettes neuves. *Comment prescrire la crise à l'institution elle-même, de façon à l'aider dans sa réponse aux situations de crise qu'elle assume ?*

Premier point, une théorie systémique de l'institution doit tenir compte de la définition de J. Haley et du métamessage complexe : « Ceci est un symptôme relationnel extrême. » Nous sommes renvoyés à la gravité des troubles comportementaux dans l'institution et à la nécessité des actes de contrôle. *Toutefois, nous pouvons retrouver l'appui essentiel du langage parlé.* Grâce à une véritable « méthode des réunions », nous pouvons répondre au retentissement (« contamination ») de l'accueil des crises familiales dans notre équipe, là où nous sommes. Dès qu'une tension excessive se manifeste chez les soignants, nous nous réunissons entre intervenants concernés. Les réunions organisent une autoprescription d'accueil des conséquences de la crise. La sécurité émotionnelle nécessaire pour cela est créée en encadrant les réunions de crise par d'autres rencontres. Celles-ci apportent à notre groupe d'intervenants l'habitude du dialogue et la confiance réciproque.

Les psychothérapies familiales dont un membre est institutionnalisé doivent intégrer en premier lieu cette donnée : *familles, patients et intervenants se désignent réciproquement comme impliqués dans la pathologie, la déviance*, etc. Il s'agit d'accepter ces relations de double désignation et d'affronter le pari évolutif implicitement proposé, défi de découvrir le sens au sein de l'absurdité. Les intervenants bénéficie-ront tout autant que le patient ou sa famille de la bonne organisation du système thérapeutique particulier à chaque cas. L'évolution du patient exige une restauration des loyautés intrafamiliales mais aussi le progrès des loyautés intra-institutionnelles. Par la conscience et l'emploi de ce renversement conceptuel, l'équipe et l'institution se désaliènent elles-mêmes.

La thérapie familiale face au mandat institutionnel concerne *les façons de faire qui permettent au plus faible manifeste d'aider le plus fort apparent à évoluer*. Telle est la prescription paradoxale : la recon-naissance de la faiblesse *a priori* du système thérapeutique constitue le seul point de départ d'une évolution. Le symptôme, ceux qu'il atteint et ceux qu'il fait intervenir, constituent nos bas-fonds catastrophiques dont notre connaissance claire induit une possibilité d'évolution et d'anticipation.

Dans toute institution, le mandat hiérarchique de soin et de con-trôle est donné d'en haut. Pour leur part, les réalités évolutives exis-tent sur le terrain et là uniquement. *Le pouvoir s'exprime de haut en bas mais les informations et leur fonction anticipatrice peuvent seule-ment venir de bas en haut.* Très souvent, les informations qui montent ainsi de la base sont contestataires, gênantes, apparemment négatives et pourtant elles anticipent les éléments du changement évolutif.

Une conclusion évidente : le double lien

L'humour seul nous sauve du paradoxe. L'absurdité des grands drames humains — et en tout cas de nos tragédies cliniques — tient à la conceptualisation insuffisante de leur complexité interactionnelle. Comme le disait Carlos Sluzki, dans un séminaire récent : nous sommes des systèmes créés par des problèmes, lesquels problèmes orga-nisent les symptômes et notre seule voie est de dissoudre les problèmes plutôt que de répondre aux symptômes. « Il faut aider les gens con-cernés à parler autrement de ces situations et dans ces situations », disait-il à propos de ce Koan : « Le problème existe quand quelqu'un dit qu'il y a un problème. » On pourrait dire aussi : il y a un « problème » quand sont appelés — directement ou indirectement — pour s'occuper d'une situation ou d'un individu en crise des interve-nants étiquetés comme « professionnels concernés par les problèmes » et ayant accepté cette désignation.

L'humour nous apporte son nouveau langage.

Nous sommes des praticiens des doubles liens que, entre nous tous, intervenants institutionnels, nous entrelaçons, réciproquement entre nous, à longueur de rencontres. Ce sont les schizophrènes, les alcooliques, les déviants, les délinquants, les toxicomanes, etc., à qui nous devons cette *formation* fondamentalement utile à notre survie. Eux-mêmes les ont acquises — cette formation et cette survie — dans des familles exceptionnellement compétentes en doubles liens et dénuées d'autre solution de survie. Chacune de ces familles rejette son patient — son négatif et son anticipation — et crée les zones préparées approximativement et pauvrement par la société pour l'hygiène mentale et la propreté de ses cités invivables. Chacune de ces familles vérifie constamment que son patient nous fait activement subir cette formation et ce traitement général de doubles messages portés à leur maximum. Ces familles soulagent ainsi de son angoisse spécifique la « société conforme » dont l'idéologie est : les supermarchés, les autoroutes et les programmes médiatiques fonctionnent à leur maximum ! Le summum du paradoxe, nous l'assumerons : laisser le haut du pavé à nos collègues moins bien formés que nous par leurs familles pathologiques.

Nous devrons les empêcher de lire des ouvrages comme celui-ci, destinés essentiellement à cette élite maudite, nous autres, dont le rôle est de comprendre discrètement que la disparition des schizophrènes, des toxicomanes et des sidéens laisserait toute liberté aux mains destructrices des technologues et autres conquérants recruteurs des gens conformes. La récompense de notre discrétion, nous la trouvons dans la riche tranquillité de nos relations cliniques, didactiques et amicales.

Ainsi, comme nous l'a conseillé Carl Whitaker, évitons le prosélytisme : si nous jouons aux missionnaires, nous risquerons de nous faire manger par les cannibales !

Alfred Sauvy [10], dans un livre récent, stimule notre réflexion avec cet échange, entre un garçonnet et sa maman :

« Maman, est-ce que les missionnaires vont au ciel ?

— Oui, mon enfant.

— Et les lions ?

— Non, mon enfant.

— Même les lions qui ont mangé des missionnaires ? »

Logique ou épistémologie ? Paul Watzlawick ou Humberto Maturana ?

Cette blague ressemble plutôt à un fragment de métalogue de Gregory Bateson.

RÉFÉRENCES BIBLIOGRAPHIQUES

[1] HALEY J., *Leaving Home*, New York, McGraw-Hill, 1980 (traduction en cours, ESF).

[2] HALEY J., *Strategies of psychotherapy*, New York, Grune & Stratton, 1963, p. 5.

[3] SUTTER J., *L'anticipation*, Paris, PUF, 1983.

BERTA M., *Prospective symbolique en psychothérapie*, Paris, ESF, 1983.

BENOIT J.-C., BERTA M., *La pénombre du double*, Paris, ESF, 1987.

[4] HALEY J., *Tacticiens du pouvoir*, Paris, ESF, 1984.

[5] BENOIT J.-C., MALAREWICZ J.-A. et coll., *Dictionnaire clinique des thérapies familiales systémiques*, Paris, ESF, 1988.

[6] BENOIT J.-C., « Le médioscope systémique et l'objet métaphorique négatif inducteur d'anticipation (OMNIA) », *Thérapie familiale*, 9, 1988, p. 27-38.

[7] AUSLOOS G., « Finalités individuelles, finalités familiales », *Thérapie familiale*, 4, 1983, p. 207-219.

[8] AUSLOOS G., « Système institutionnel, système thérapeutique », *Thérapie familiale*, 4, 1983, p. 171-177.

[9] BENOIT J.-C., ROUME D., *La désaliénation systémique*, Paris, ESF, 1986.

[10] SAUVY A., *Aux sources de l'humour*, Paris, Odile Jacob, 1988.

6

LECTURE SYSTÉMIQUE
ET QUOTIDIEN INSTITUTIONNEL*

Jacques PLUYMAEKERS

Dans les sciences humaines, l'approche systémique s'est surtout imposée à travers les pratiques de thérapie familiale. Celles-ci se sont montrées fécondes pour le champ thérapeutique. Par contre, dans le champ social et éducatif, cela semble avoir favorisé l'idée que la seule façon d'utiliser l'approche systémique dans les institutions était pour les intervenants — éducateurs, assistants sociaux, psycho-éducateurs, psychologues et psychiatres — de devenir « thérapeutes familiaux » ou, à tout le moins, de mener des entretiens systémiques avec les familles.

Cette « réduction » de l'approche systémique à la thérapie familiale a souvent été mise en question, entre autres par le développement des pratiques de réseau (Pluymaekers [10]). Reste que pour de nombreuses institutions, du moins en Europe, la thérapie familiale est un nouveau mythe. Et cela joue au détriment du travail de recherche concernant les activités éducatives et psychosociales.

A cet égard, R. Pauzé [8] a montré comment cette « réduction » a des conséquences négatives :

— d'une part, une prérogative du sous-système familial qui amène l'intervenant-thérapeute à oublier que son propre sous-système est un agent actif de la problématique ;

— d'autre part, un glissement vers une pensée dualiste qui, à l'intérieur de la famille, oppose rapidement parents et enfants.

Et cependant, l'approche systémique n'est ni une technique ni une idéologie. Elle est d'abord une épistémologie. Et, en tant que telle, elle est une façon de connaître et de lire les nombreuses réalités du monde, entre autres donc nos pratiques, aussi diversifiées soient-elles.

---

* Ce texte reprend avec une autre illustration un article à paraître dans la *Revue canadienne de psycho-éducation*, Université de Montréal.

De nombreuses sciences l'ont utilisée. Ainsi, les sciences biologiques — pour ne prendre qu'un exemple, dont les modèles se sont montrés très pertinents dans d'autres champs, — s'en sont servi entre autres pour mieux comprendre les régulations et l'émergence du changement dans les systèmes vivants de type biologique. Nous pensons aux recherches de H. Maturana et à l'équipe d'I. Prigogine.

Dans le champ éducatif, ce sont les régulations des relations institutionnelles à travers le « quotidien institutionnel » qui méritent notre attention. A travers cette expression, nous signifions les activités habituelles de l'éducateur : repas, loisirs, couchers, levers, incidents, crises, contacts informels avec l'extérieur, etc.

Dans le champ psychosocial, le quotidien, ce sont les contacts de toutes formes avec les familles et entre les intervenants : contacts formels mais aussi contacts informels tels que téléphones, rencontres fortuites, réunions, etc.

La lecture systémique du « quotidien institutionnel » exige de la part de l'intervenant non seulement une méthodologie spécifique mais aussi une conception du monde qui intègrent les apports de l'approche systémique.

L'approche systémique : une épistémologie

De l'épistémologie systémique, deux principes sont ici à rappeler :

1. Le premier concerne la question importante du choix des frontières du système, de sa délimitation. L'intervenant intégrera dans la délimitation du système qu'il se donne comme cadre d'hypothèse et de lecture, non seulement sa propre institution mais aussi la famille et les autres acteurs institutionnels : référents, enseignants, thérapeutes, juges, etc.

Voir ainsi l'institution et les relations inter-institutionnelles comme « système », c'est les concevoir comme des ensembles régulés par les nombreux événements qui jalonnent le quotidien. Ceux-ci, dans leur fonction de régulation, auront le plus souvent des effets homéostatiques. En certaines circonstances, ils seront l'occasion de changements importants dans les règles du système. C'est tout leur intérêt, pour autant que l'intervenant puisse les exploiter.

Les règles de tels systèmes se situent à deux niveaux :

a) celui du programme officiel, c'est-à-dire le niveau où s'expriment les projets pédagogiques, la finalité propre à l'institution, la répartition des rôles, les statuts des différents personnels, etc.

b) celui des règles implicites, c'est-à-dire ce niveau sous-jacent où ce qui se joue dans le concret entre les uns et les autres constitue progressivement des « règles ». Cela recouvre en partie ce que Mony Elkaïm [5] appelle les règles intrinsèques et les singularités signifiantes, se distinguant, d'une part, des lois générales et, d'autre part, des singularités a-signifiantes.

Cet élargissement du système s'impose si l'on ne veut pas voir rapidement s'opérer pour l'intervenant une « disqualification contextuelle ». En effet, s'il fonde son action sur des hypothèses s'appuyant exclusivement sur son analyse de la famille, il s'expose à mener des actions logiques par rapport à celle-ci mais allant très souvent à l'encontre des règles implicites du système élargi, règles vitales pour celui-ci. On voit alors apparaître au niveau du système des régulations qui auront pour effet de disqualifier les interventions « déloyales ». L'intervenant est alors en porte à faux : très logiquement, il propose, agit, prescrit ce qui se dégage de sa relation à la famille en lien avec son institution... tout en étant contextuellement disqualifié. Ainsi, la situation fréquente où un service est mandaté par le pouvoir judiciaire, en la personne d'un juge. Celui-ci a été lui-même saisi par un autre service qui a pensé que, *via* son intermédiaire, sa façon de voir s'imposerait à la famille. Implicitement, ce service va se montrer très vigilant pour que le service mandaté « obéisse » à son analyse ; voire parfois ne réussisse pas là où lui-même a été tenu en échec. Dans ce système élargi, ce jeu implicite devient vite le support de régulations homéostatiques. L'enjeu n'est plus simplement l'aide à apporter à une famille mais la conformité des services aux règles implicites, qui se sont créées dans ce réseau inter-institutionnel, en l'occurrence ici : « Votre service est à notre service » ou « Entre services, on n'a pas à se montrer meilleur ». Comme membre de ce système, parmi les autres (famille, autres intervenants...), le dernier intervenant possède une réelle marge de manœuvre mais sous très haute surveillance. Paradoxalement, son action a les plus fortes chances d'être disqualifiée si elle se montre trop opérante...

2. Le second : délimiter le système en s'incluant à l'intérieur de celui-ci a pour conséquence de mettre l'intervenant dans le paradoxe autoréférentiel. Il s'y trouve comme intervenant par rapport à sa propre institution mais aussi en tant qu'agent de son institution dans le système élargi au réseau. Comment en effet agir avec pertinence sur les systèmes dont je fais partie ?

Si bon nombre de thérapeutes feignent d'oublier ce paradoxe, si aujourd'hui ce thème est essentiel pour les thérapeutes familiaux, les travailleurs sociaux mandatés l'ont souvent découvert — presque toujours par surprise, et à leurs dépens — lorsqu'ils se retrouvaient « aspirés et avalés » par les familles et/ou le réseau. Quant aux éducateurs, ils n'ont jamais vraiment eu le choix. La prégnance du quotidien les y ramène à tous moments !

Mais cela n'empêche pas que, dans le champ éducatif et psychosocial, les conceptions cartésiennes sont encore ancrées au point qu'il n'est pas du tout évident de se considérer ainsi partie prenante de son système. On persiste toujours à croire qu'on change les choses pour autant qu'on se soit mis à distance. Cette distance qu'on dit nécessaire à un bon diagnostic. Bref, on continue de penser l'observateur à l'extérieur... !

En fait, il n'est nul besoin de devoir mettre le système à distance pour pouvoir s'utiliser comme intervenant et y développer des stratégies de changement. Le contraire est même une condition strictement nécessaire car que pourrions-nous faire si nous n'étions pas membres des systèmes sur lesquels nous avons la prétention d'agir.

Mais cela ne signifie-t-il pas dans nos relations l'abolition de toute distanciation ? Non, c'est au cœur même de nos relations, dans l'immédiateté du processus interactif qui s'y joue, qu'il faut voir non seulement les effets réciproques de l'un sur l'autre mais l'émergence d'une distance indissociable du processus lui-même. « Cette distance scinde et affranchit de l'immédiateté, mais au sein même de l'expérience » (de Waelhens [4]). Un peu comme au palais de glaces, les miroirs s'utilisent et vous utilisent au gré de leur pouvoir déformant, au gré de vos mouvements. Et, ni votre corps, ni les miroirs n'en tirent profit... l'effet est ailleurs. Il est dans l'émergence d'un plus, en l'occurrence d'une distance entièrement liée à l'expérience. Celle-ci dissocie et, à travers elle, se créent émotions, plaisir... ou peur.

Cette distance coextensive à l'existence de nos relations « ne surgit que dans et par le corps » (de Waelhens [4]). En m'utilisant comme acteur à part entière des systèmes sur lesquels je prétends agir, je peux prendre distance dans la plus radicale proximité.

L'autoréférence, loin d'être un handicap, est alors une richesse, permettant une meilleure compréhension de ces jeux subtils où, avec mon corps, je puis être là sans être là, être à la fois « moi » et tout entier monde. Paradoxalement, il faut voir la distance... non distante (Pluymaekers [9]).

Méthodologie du modèle

Dans ce modèle d'intervention, une méthodologie spécifique est nécessaire si l'on veut progresser vers une lecture active des règles de fonctionnement de systèmes aussi complexes que l'institution et/ou les relations interinstitutionnelles, avec en outre les difficultés liées au fait que le lecteur est lui-même membre de ce système.

En effet, les descriptions orales traditionnelles ressaisissent mal les processus en action. Les fluctuations y sont très nombreuses, trop rapides. L'intervenant est plongé dans l'instant. Dans ces conditions, il n'est pas étonnant que celui-ci ait quelques difficultés à retraduire les choses autrement que sous forme de clichés peu révélateurs de la densité des interactions. Comme dans les premières recherches de G. Bateson [1] à Bali, mais aujourd'hui avec la facilité de la vidéo, c'est la possibilité de filmer qui permet d'aller au-delà de ces difficultés.

Par ailleurs, les modèles et les concepts dont nous disposons, se sont développés, pour la plupart, autour des pratiques de thérapie familiale. Leur extension à des systèmes très élargis n'est pas nécessairement adéquate comme a été tout à fait indue dans le champ social l'extension faite à travers la psychiatrie des concepts médicaux classiques (Cooper [3]).

Le modèle présenté ici comporte plusieurs phases au niveau méthodologique :

1. La première est l'enregistrement en vidéo d'une séquence du quotidien institutionnel. Le choix peut se porter sur des moments privilégiés (réunions, débats, entretiens avec le jeune, les parents, le juge et ses délégués), ou alors sur certaines tranches de vie quotidienne (lever, repas, activités, loisirs...).

Pour ce faire, plusieurs conditions sont à respecter :

— l'intervenant qui souhaite travailler avec ce modèle doit s'impliquer personnellement. Son action doit être centrale sur l'image vidéo ;

— la caméra doit être visible, équipée d'un grand angle et le zoom ne doit pas être utilisé, de façon à ce que les interactions soient lisibles ;

— l'accord de tous les participants doit être obtenu.

2. La deuxième phase consiste à revoir la séquence filmée pour en faire une lecture systémique. Celle-ci, quelle que soit d'ailleurs la séquence, est en principe possible puisqu'il s'agit de déceler dans un

système en fonctionnement les règles de celui-ci. Parfois, mais rarement, les conditions d'enregistrement la rendront impossible. La lecture se fera en privilégiant le repérage des actions coordonnées, des concomitances de gestes, c'est-à-dire des synergies ainsi que des séquences redondantes entre divers partenaires. Ces micro-interactions, auxquelles nous ne prêtons d'habitude guère attention, apparaissent à une lecture rigoureuse nombreuses et significatives. A.E. Scheflen [11] [12] et R.L. Birdwhistell [2] ont estimé, à partir de leurs recherches, que plusieurs dizaines de ces interactions pouvaient se produire par minute et ce, entre deux ou trois partenaires. Dans ce modèle, les plus manifestes sont en général suffisantes à ce que se créent des intersections entre la vidéo et ses acteurs filmés et les lecteurs permettant de faire des hypothèses à propos du fonctionnement du système.

3. Dans une troisième phase, la séquence sera revisionnée en présence des participants avec deux objectifs : l'un, de faire de cet événement vidéo un événement collectif où chacun est interpellé ; l'autre est la négociation éventuelle de changements. La plupart des stratégies de changement, mises en place, ont utilisé ce moment.

Se filmer est donc pour l'intervenant un point de départ à l'élaboration de stratégies créatives à partir du repérage des redondances et des règles de fonctionnement de l'institution ou du réseau.

Souvent, le processus qui se met en place pour l'intervenant va se dérouler de la façon suivante.

A la première vision, l'intervenant découvre que son comportement — tout comme celui des autres — contribue au maintien des règles institutionnelles. D'habitude, jaillit immédiatement une première réaction : tout sera fait pour que de tels comportements ne se reproduisent plus. Cette réaction est pleine de bon sens mais oublie que le comportement « décrié » a une fonction, d'autant plus importante qu'il apparaît illogique, dans le cadre de référence habituel. Il sera donc important pour l'intervenant d'assumer ce choc de la première vision et de focaliser rapidement son attention sur la recherche d'une cohérence interne à ce qui se passe.

L'élargissement à un système plus vaste et les visions répétées y aideront. Celles-ci permettent de repérer de quelle façon la réalité génère régulations, feed-back,... et aussi comment elle nous utilise. Une bonne manière de mieux cerner l'intérêt des concepts de la théorie des systèmes ! Viendra ensuite une première élaboration d'hypothèses à propos des règles de fonctionnement du système (voir dans ce volume R. Pauzé et L. Roy). Ces hypothèses, il faudra les vérifier avant de mettre en place des stratégies de changements.

Un exemple concret :
la petite fille non mangeante

L'intervention a lieu dans un centre de jour pour enfants déficients mentaux où travaille une éducatrice en formation à l'approche systémique. Appelons-la Marie. Il a été décidé de filmer un repas de midi. D'habitude, Marie est assise à côté d'une fillette de 11 ans qui ne mange qu'avec réticence. A la même table se sont installés trois autres enfants, un responsable du centre et moi-même, l'invité.

La petite fille :
histoire de l'institution

Sitôt le repas commencé, s'instaure entre Marie et la petite fille un jeu de connivence manifeste. Marie tente de susciter chez la petite fille quelque intérêt pour la nourriture. Elle insiste mais sans succès. « Mange », « Mais, vas-tu manger » se succèdent. Tous les tons y passent ; l'enfant semble ne prêter aucune attention aux injonctions. On arrive à la moitié du repas. Marie s'est levée pour régler un problème d'intendance. Aussitôt, le voisin de la petite fille, un garçon, prend le relais et lui rappelle qu'il faut manger. Intrigué, peut-être un peu énervé, voilà qu'à mon tour j'interviens. « Marie te parle, dis-je à la petite fille, mais comme tu sais ce qu'elle veut te dire, je comprends que tu n'écoutes pas. » L'éducatrice, de retour, me répond que tous les jours le même scénario se répète et le responsable du centre précise : « Cette enfant ? Mais, c'est l'histoire de l'institution. Tout le monde sait qu'elle ne mange pas. »

Cette déclaration vient confirmer ce qui se joue depuis un moment déjà : la petite fille doit être vue non mangeante. C'est aussi une invitation pressante à me conformer à ce qu'on peut supposer être une règle. J'avais cependant commencé à interpeller la petite fille : « Je ne comprends pas : tu manges. » Me retournant vers le responsable : « Mais, je la vois manger ! » Ces remarques provoquent un temps d'arrêt. L'éducatrice très vite se ressaisit et lance à la petite fille : « C'est tant mieux : ainsi tu pourras en remontrer à ceux qui pensent que tu ne manges pas. » La petite fille me regarde et murmure : « Pas trop, pas trop. »

Son statut : « une petite fille non mangeante »

Deux choses sont ici remarquables. D'une part, la petite fille s'organise pour manger quand l'éducatrice ne fait pas trop attention. La manière tout à fait astucieuse qu'elle utilise sera décrite un peu plus loin. D'autre part, aux réflexions pointant le fait qu'elle mange, la petite fille répond : « Pas trop, pas trop. » Elle donne ainsi son accord mais en même temps le limite.

Comment comprendre cet à-propos ? Qu'y a-t-il à perdre ? L'idée vient que l'important, dans ce jeu, c'est de sauvegarder le « statut d'être vue non mangeante » porté par cette petite fille. Ce statut n'est pas seulement une étiquette diagnostique mais le support de relations qui impliquent les uns et les autres. « Être vue » suppose que d'autres voient. L'importance de celui-ci s'est déjà exprimée dans le lien fait avec l'« histoire de l'institution ». Il se confirmera dans l'intensité avec laquelle nous pourrons observer les régulations faisant suite à cette information déroutante : ... elle mange.

Le choc passé, l'éducatrice reprendra progressivement ses encouragements, d'abord sous des formes positives, ensuite de la façon habituelle. Le garçon profitera d'une nouvelle absence de Marie pour aider la petite fille. Mais il poursuivra son geste jusqu'à la menacer d'une sanction si elle ne mange pas. Tout semble reprendre sa place jusqu'au point final : la petite fille interpelle la tablée : « Je suis contente » dit-elle, et comme sa remarque ne suscite aucune réaction, elle lance : « Je suis contente ! Je suis contente ! Je suis contente ! »

L'éducatrice ne peut s'empêcher de répondre : « Tu es contente ? Eh bien, pas moi ! Tu n'as pas mangé comme il faut. » Tout est rentré dans l'ordre. Tout est en place pour que, dès le repas suivant, la complicité qui se joue au travers de ce nécessaire « dialogue de sourds » soit à nouveau de rigueur.

Dans un système, les règles de celui-ci agissent chacun des acteurs et sont tout à la fois agies par chacun d'eux. Il est du plus haut intérêt ici de voir comment les différents acteurs en présence : éducatrice, petite fille, responsable du centre, garçon et invité, viennent de « jouer » la règle du jeu.

Qu'en était-il en réalité ? Eh bien, l'enfant mangeait peu mais enfin, au bout du compte, la soupe était plus ou moins avalée, l'assiette à moitié vidée, la pomme croquée ! Il fallait être très attentif pour découvrir le manège. Au long du repas, sans faiblir, elle maintenait sa fourchette lestée devant sa bouche et, à la dérobée, elle avalait une bouchée. La petite fille, par son comportement, contribuait ainsi à merveille à son image de non mangeante !

Famille, institution...
elles aussi « non mangeantes » ?

Quand, après les nombreuses synergies repérées entre le garçon, l'éducatrice et la petite fille, le responsable du Centre affirme : « Cette enfant est l'histoire de l'institution. Tout le monde sait qu'elle ne mange pas », émerge l'idée que cette enfant doit « être vue non mangeante ». Il s'agit là d'une règle. Et cette règle, il n'y a pas lieu de croire qu'elle n'aurait pas sa fonction tout autant pour l'institution et la famille que pour l'enfant. Une lecture systémique a toujours intérêt à pointer les éléments isomorphes à la séquence décrite, aux règles générales de l'institution, au fonctionnement singulier des différentes familles en jeu : celle de l'enfant et des intervenants. On devrait aussi l'étendre à l'intersection avec les règles du groupe de formation.

Interrogée sur les liens qui pouvaient être faits avec la famille, l'éducatrice apporte deux informations intéressantes. Elle rappelle premièrement qu'au moment du placement, il y a plusieurs années, la mère de l'enfant n'appréciait guère la raison « déficience mentale » et préférait insister sur les difficultés qu'aurait sa fille à s'alimenter. De leur côté, les responsables du Centre n'avaient pas attaché plus d'importance que cela à cette connotation dans l'accueil de l'enfant. Progressivement cependant, les relations entre institution, groupe de vie, famille et enfant vont s'articuler autour de ce thème de la nourriture.

Ensuite, elle raconte comment, chaque matin, un autre rituel se déroule. Après un copieux déjeuner, la mère confiait sa fille au chauffeur de l'autocar scolaire. Elle insistait auprès de celui-ci pour qu'il veille à ce que l'enfant mange durant la journée. La mère répétait ainsi quotidiennement ce qui la liait, elle et son enfant, au centre... comme si son message pouvait ne pas avoir été entendu ! Se faisait ainsi dans une danse ritualisée « l'histoire de l'institution », leur histoire avec l'institution.

Ainsi, non seulement les acteurs filmés se retrouvaient agis et agissant cette règle, mais encore la mère, le chauffeur ponctuaient eux aussi à leur manière cette danse.

De son côté, l'institution devait y être aussi liée. On peut, la concernant, s'interroger en quoi elle serait aussi non mangeante et chercher à formuler comment la règle se joue à son niveau.

Une hypothèse apparaît pertinente. Cette institution ne se vivrait-elle pas comme nourricière tout en considérant ceux à qui elle donne tellement ingrats qu'ils refusent ce qu'elle leur offre ?

Dans le langage du mythe, on pourrait dire : « Nous offrons de bonnes choses aux gens, mais c'est comme d'offrir des perles aux pourceaux, ils n'en veulent pas ! »

Aussi, la répartie faite à la petite fille en réponse au responsable du Centre : « Mais tu manges », alors qu'à cet instant elle n'est pas en train d'avaler une bouchée, lui dit à la fois : « Quand tu ne manges pas, tu manges et quand tu manges, tu manges. » Dit autrement, quand tu ne manges pas, tu manges « du rien », tu manges « de l'histoire de l'institution ». Tu te fais voir non mangeante, car ainsi le mythe institutionnel se confirme...

Un autre aspect de l'événement est alors intéressant à signaler. L'éducatrice ne partage pas la nourriture de l'institution mais elle mange ses tartines. En effet, le personnel est en plein conflit syndical avec la direction à propos du financement des repas pris au Centre. On vient donc à table mais on refuse de manger, chacun pour ses raisons, manifestant doublement que ce que donne l'institution ne mérite pas d'être accepté. En conclusion, il semblerait que, dans cette institution, chacun donne le meilleur de lui-même mais sans succès puisque ceux à qui l'offre est faite refuseront. Il en est ainsi de la direction envers les éducateurs, de l'éducatrice envers la fillette.

Double contrainte réciproque

En étendant à la famille de l'enfant l'analogie entre les règles suggérées par l'événement et les règles régissant les relations dans l'institution, on conclura que l'enfant, en refusant de manger tout en mangeant, rejoue quelque chose de l'habituelle demande à deux niveaux présente chez les parents dans leur rapport à l'institution : « Guérissez mon enfant mais ne le guérissez pas. » La mère souhaite que sa fille profite de l'institution mais « pas trop », car elle souhaite aussi rester la bonne mère. L'institution, pour sa part, peut être efficace mais « pas trop » si elle veut éviter le risque que la mère retire son enfant ; mais, ce faisant, elle faillit à sa mission de soins excellents.

Le « pas trop » de la petite fille est alors un merveilleux écho : il exprime admirablement le déchirement dans lequel elle se trouve. Elle se retrouve au carrefour d'une double contrainte réciproque (Elkaïm [6] [7]) entre mère et institution. D'une part, la mère exige que l'institution prenne bien soin de sa fille, mais en même temps fait sentir qu'elle ne supportera pas que le travail éducatif soit un succès, car, dans ce cas, elle n'est plus la bonne mère. Par ailleurs, l'institution souhaite que la mère soit reconnue et valorisée, car cela contribue aux bonnes relations et à la poursuite du placement ; mais si la mère se sent seule compétente, l'institution est de moins en moins nécessaire...

L'éducatrice, si on la distingue de sa hiérarchie, se retrouve à sa manière dans une situation proche de la petite fille. Elle aussi est prise dans une double contrainte. Que son action soit efficace ou non, elle fera problème dans la relation mère-institution ! En effet, si elle réussit, elle pourra être tenue pour responsable de la perte économique. Si, par contre, elle échoue, sa compétence sera mise en question.

Les éducateurs sont ainsi très fréquemment obligés à un exercice de corde raide où il faut à la fois se ménager la direction de l'institution et s'allier aux parents, en faisant en sorte que ce qui est fait pour l'enfant ne soit pas vu comme allant à l'encontre de ceux-ci. Alors l'enfant qui ne mange pas tout en mangeant est une image merveilleuse de quelqu'un qui bénéficie de l'institution mais en la trouvant autoritaire et envahissante... L'enfant exprime ainsi une cristallisation, une métaphore de la double contrainte réciproque dans laquelle sont pris parents et éducateurs.

En réalité, quand la petite fille mange lentement ou ne mange pas, elle fait quelque chose de positif pour l'institution. Quand elle mange, elle s'allie au premier aspect de la demande de la mère : « Prenez bien soin de ma fille. » Quand elle ne mange pas, l'alliance se fait avec l'autre versant de cette demande : « Ne faites pas mieux que moi. » Mon intervention, comme information déroutante, soulignait en même temps les deux niveaux de la double contrainte qui, jusqu'alors, n'étaient vécus que successivement. Au lieu d'osciller d'un niveau à l'autre, mon intervention montrait que les deux aspects vont de pair, levant ainsi la double contrainte. Ainsi la perspective changeait, en révélant l'ensemble des règles et pas seulement une d'entre elles. Ceci permet de réaliser qu'il ne s'agit pas d'un caprice d'une petite fille mais d'une métaphore signifiante quant à une règle plus générale qui régit l'institution, les éducateurs, la famille et l'enfant.

Conclusions

L'intérêt de ce modèle d'intervention réside principalement dans la possibilité pour l'éducateur de travailler son champ d'action privilégié : le quotidien. Il ne lui est donc en rien utile de s'afficher « thérapeute familial » ou spécialiste des entretiens familiaux. Le quotidien et la lecture systémique qui peut en être faite, donnent au travail éducatif et psychosocial de larges possibilités d'actions et de stratégies de changement fondées sur des hypothèses systémiques, liées aux régulations à travers les événements du quotidien. Ainsi, considérer ces réalités institutionnelles et/ou interinstitutionnelles en tant que système change la façon de les connaître et rappelle qu'il est impossible en éducation de distinguer ce qui vient de l'un et ce qui vient de l'autre. Il s'agit de renoncer à la prétention de connaître les jeunes et leurs familles de l'extérieur. Leurs réactions sont tellement liées aux nôtres que les dissocier, ou les expliquer l'une par l'autre, serait un non-sens. Eux et nous formons un tout vivant, indissociable, impossible à ranger dans des tiroirs.

L'approche systémique, en introduisant une épistémologie qui met l'accent en lieu et place d'une recherche des causes, sur le fonctionnement des choses entre elles, permet dans un système arbitrairement délimité de lire les règles de fonctionnement de celui-ci, de voir comment ces règles s'inscrivent dans le temps et utilisent les événements, de comprendre comment chacun y contribue et s'y soumet. L'institution et le réseau, délimités comme système, sont dès lors, grâce au fait même que nous y sommes partie prenante, un excellent contexte de changement. Les documents vidéo rendent possible l'intégration dans nos lectures de la complexité des systèmes institutionnels. Ils sont strictement nécessaires au repérage des articulations entre les choses et, par suite, de l'émergence des règles, explicites ou non. Une lecture systémique du quotidien renforcera souvent les hypothèses de travail qu'il faudra confronter aux règles du discours institutionnel. Elle assurera même les stratégies éventuelles de changements possibles.

L'éducateur ne tardera pas à saisir l'intérêt du repérage des régulations homéostatiques, des alliances et autres comportements en vue d'une « soumission à la règle du jeu ». Il sera alors à même de lire, autrement et sur-le-champ, les événements les plus ordinaires. Ceux-ci seront progressivement « lus » en référence aux hypothèses de travail élaborées à partir de lectures vidéo. L'éducateur se surprendra alors à moduler ses propres réactions dans un sens ou l'autre, guettant surtout l'effet de l'interaction.

Repas, incidents, réunion avec les jeunes, colère de l'un, réactions des autres, rituels seront ainsi relus et ouvriront à des lectures susceptibles d'ouvrir des contextes de changements. Les contacts avec les familles comme les coups de téléphone, les brèves entrevues lors des retours de fin de semaine, deviennent aussi des moments du quotidien où se jouent les relations institution-famille. Il est important que les éducateurs les utilisent d'abord pour comprendre comment ils fonctionnent avec elles et les réseaux environnants pour ensuite développer des pratiques de réseaux où, à partir du quotidien institutionnel, seront relues certaines relations avec les différents intervenants concernés par une même famille.

RÉFÉRENCES BIBLIOGRAPHIQUES

[1] BATESON G., MEAD M., *Balinese character : a photographic analysis*, New York, New York Acad. Sc., 1942.

[2] BIRDWHISTELL R.-L., *A kinesic-linguistic exercise : the cigarette scene in kinesic and context : Essays on body motion communication*, Philadelphie, University of Pensylvania Press, 1970. Traduit in WINKIN Y., *La nouvelle communication*, Paris, Le Seuil, 1981, p. 160-190.

[3] COOPER D., « Que connaissons-nous réellement de ce que nous faisons ? » *Cahiers critiques de thérapie familiale et de pratiques de réseaux*, 2, 1980, p. 72-74.

[4] DE WAELHENS A. « Réflexions sur les rapports de la phénoménologie et de la psychanalyse » in *Existence et signification*, Louvain, Nauwelaerts, 1958, p. 191-211.

[5] ELKAÏM M., « Des lois générales aux singularités », *Cahiers critiques de thérapie familiale et de pratiques de réseau*, 7, 1983, p. 111-121.

[6] ELKAÏM M., « Une approche systémique des thérapies de couple » in ELKAIM M. (sous la direction de), *Formations et pratiques en thérapie familiale*, Paris, ESF, 1985, p. 127-138.

[7] ELKAÏM M., *Si tu m'aimes, ne m'aime pas. Une approche systémique des thérapies familiales et de couples*, Paris, Le Seuil, 1989.

[8] PAUZÉ R., « La parole aux lecteurs », *Systèmes humains*, 2 (2), 1986, p. 7-8.

[9] PLUYMAEKERS J., « Agir et réfléchir... à l'infini : la formation à l'approche systémique », *Thérapie familiale*, 7 (2), 1986, p. 167-180.

[10] PLUYMAEKERS J., « Réseaux et pratiques de quartier » in ELKAÏM M. (sous la direction de), *Les pratiques de réseau*, Paris, ESF, 1987, p. 87-105.

[11] SCHEFLEN A.E., « Systems in human communication » Contribution au Congrès de AAAS, 1965. Traduit in WINKIN Y., *La nouvelle communication*, Paris, Le Seuil, 1981, p. 145-158.

[12] SCHEFLEN A.E., « Méthode de l'histoire naturelle en psychothérapie : recherche sur la communication » in Louis A. Gottschalk, Arthur H. Auerbach, eds. *Methods of research in psychotherapy*. Century psychology Series, New York, 1966. Traduit in *Cahiers critiques de thérapie familiale et de pratiques de réseaux*, 7, 1983, p. 71-90. Deux autres textes ont été traduits : « Suzanne a souri » et « Des processus de communication » in *Thérapie familiale*, 2 (2), 1981.

7

TEMPS ET INSTITUTION

Edith GOLDBETER-MERINFELD

Les institutions médico-psychosociales ne sont, en aucun cas, des familles : pas d'éléments génétiques communs, pas de nom transmis au travers d'une lignée mâle, pas de rôle ou de fonction de protection, d'éducation et d'aide à la subsistance de ses membres ; on n'y trouve pas non plus cette passation de rôles — de génération en génération — qui dans les familles fait que les enfants deviennent parents, que les parents deviennent grands-parents et que les grands-parents deviennent arrière-grands-parents, chacun à leur tour ; ici guère de fonctions de transmission telles que la transmission des biens, la transmission des fonctions ou la transmission des valeurs. Pourtant, on ne peut réduire l'institution à un simple lieu collectif de travail (telle l'entreprise dont l'objectif essentiel est de produire). Beaucoup d'éléments transforment en fait l'institution en un système hautement signifiant dans les contextes humains ; nous passons au moins autant d'heures en institution (au travail) qu'avec les membres de notre famille. Si la dépendance à un supérieur ou l'interdépendance des membres d'une institution peuvent être très intenses, ce n'est pas seulement explicable par l'importance économique de préserver son emploi.

A l'intérieur de l'institution, les règles explicites nous rassurent ou nous contraignent, les règles implicites peuvent nous peser. L'institution « d'aide psycho-médico-sociale » n'est pas une entreprise destinée à fabriquer ou à produire des objets qu'elle diffuserait ensuite sur un marché.

L'institution, en fait, prône un mode de vie (une vie sans le problème-symptôme dont elle s'occupe en particulier), une philosophie, une idéologie. Elle les transmet dès le décodage des situations amenées par « les clients », décodage où apparaît en filigrane le modèle idéal auquel « le cas » est comparé et à partir duquel sont identifiés le problème, la pathologie,... et sa gravité. Elle les impose parfois lors du « traitement » de la situation, toujours en référence au modèle idéal.

Qu'en est-il des travailleurs de l'institution par rapport à cette idéologie, à cette conception du monde institutionnel qui sous-tendent leur tâche de « rééducateurs » ? Ils vont y souscrire ou s'y opposer dans un langage intégré à la culture institutionnelle, construisant ainsi la structure émotionnelle d'un système cohérent et vivant. Si chacun se situe en fonction de son idéologie de vie propre, il se situe aussi en fonction de sa propre carte du monde [1] qui l'« amènera » en quelque sorte à construire une réalité où tout se passe comme s'il s'était créé lui-même dans l'institution une place isomorphe à celle qu'il avait dans sa propre famille, face à des collègues subalternes ou supérieurs qu'il percevra dans des rapports également isomorphes à des rapports vécus avec d'autres membres de sa famille [2].

C'est dans cette mouvance qui s'équilibre en une « idéologie affective » collective, dans le cadre d'une épistémologie institutionnelle propre, que vont s'intégrer les « clients » selon leurs propres cartes du monde et idéologies, complétant l'institution en lui fournissant une raison de survivre et donc une part de son identité.

Tout en sachant que toute lecture d'une portion de monde — en l'occurrence ici l'institution-équipe — est hautement subjective et inclut donc l'observateur et sa « carte du monde » (Elkaïm [1]), je me propose d'examiner les différentes étapes d'évolution de l'institution vue comme un système relativement fermé et ensuite d'illustrer ce propos par deux histoires relatant, pour l'une, les rétroactions existant à l'intérieur d'un système institutionnel lors du remplacement de la figure autoritaire (chef, directeur...) ; et pour l'autre l'évolution d'un système bâti au départ sur un fonctionnement communautaire.

Évolution des institutions
« socio-psychiatriques »

Cette évolution passe fréquemment par les étapes suivantes : .

1. Les membres fondateurs en définissent les objectifs (aider les jeunes marginaux, travailler avec les adolescents, les drogués...).

2. Ils organisent le fonctionnement interne de l'institution afin d'atteindre ces objectifs. On engage, par exemple, une équipe d'édu-

cateurs, un assistant social, un psychiatre... Cela implique une recherche de fonds.

3. Les membres fondateurs (dont certains peuvent faire partie de l'équipe de travail, et d'autres du conseil d'administration) modifient cette organisation afin de faciliter la réalisation des buts fixés ou d'améliorer le rendement en ce sens. Tous tendent à mettre en place plus d'efficacité, une satisfaction croissante des objectifs. C'est le moment où l'on peut, par exemple, établir des règles de fonctionnement plus claires pour les adolescents hébergés.

4. Le personnel modifie les objectifs afin de les adapter au fonctionnement institutionnel. On peut ainsi décider de ne plus héberger d'adolescents psychotiques ou violents, de se centrer sur les difficultés rencontrées par les jeunes à l'école ou au travail... et l'on se retrouve au premier stade qui est celui de la (re)définition des objectifs.

On est donc en présence d'un processus évoluant en spirale, passant par différents états spécifiques au cours du temps ; on observe une oscillation entre des moments de redéfinition des objectifs et de redéfinition de l'organisation...

On peut imaginer que, si les périodes d'oscillations sont courtes, l'institution fonctionnerait de façon apparemment folle et insaisissable, et que, par contre, ces périodes s'allongeant excessivement, il pourrait y avoir de réels blocages dans les processus. Alors apparaît un état de fonctionnement rigide sous-tendu par le déni du paradoxe institutionnel : tout en se fixant un programme d'aide à leurs clients, les institutions sont sujettes à des effets rétroactifs tels que, si elles se montrent compétentes, elles perdent leurs clients et voient leur survie menacée. Ce facteur est encore plus contraignant dans le contexte économique actuel.

Certaines institutions vont se figer dans un fonctionnement où tout est « comme si » elles aidaient leurs patients à ne pas changer, à ne pas « guérir » afin de garder éternellement leurs clients. Pensons ici à des centres de santé mentale ou à des dispensaires où les thérapeutes utilisent des modèles thérapeutiques à très long cours. Les agendas sont ainsi remplis pour longtemps. Ce qui diminue les possibilités de réponses rapides à des demandes plus ponctuelles fermant ainsi l'accès à toute pratique de secteur. Dans de telles institutions pétrifiées, on observe souvent une tendance à définir de plus en plus précisément les symptômes des patients qui consultent en les emprisonnant sous des étiquettes diagnostiques de plus en plus sophistiquées, cela renforçant l'enfermement du soignant dans son propre rôle de façon rigide. Le monde est alors ordonné immuablement selon deux catégories ; tout changement risquerait de mettre l'équilibre en danger. Au cours de leur développement, certaines institutions vont donc stagner, leur dynamisme va s'embourber, et elles finissent en quelque sorte par vivre un temps arrêté.

Comment des travailleurs en santé mentale, salariés ou bénévoles, réunis par le « hasard » d'un engagement administratif, peuvent-ils constituer un système dynamique ou figé, sensible, organisé non seulement autour de règles institutionnelles explicites mais également autour de règles implicites, de valeurs émotionnelles, de mythes et de secrets ?

Comment enfin cette équipe peut-elle fonctionner en un mouvement tellement isomorphe à celui de la dynamique des familles dont elle se préoccupe, et de la carte du monde du membre de l'équipe qui en dresse le tableau ?

Voilà le mystère qui réapparaît, comme chaque fois que les humains se mettent ensemble pour un certain temps, avec un projet commun, si minimal soit-il. Voilà le miracle de cette tendance à la « cohérisation » de ces histoires passées et futures multiples qui sous-tendent l'être et les attentes de chacun des membres de l'institution, et l'être et le devenir de l'institution elle-même.

Deux histoires institutionnelles

Nous avons, dans un article précédent [2], montré la résonance possible entre la carte du monde d'un membre d'une équipe et la lecture interprétative qu'il fait de la carte institutionnelle. Nous avons ajouté que si les lectures faites par chaque membre de l'institution sont différentes, elles ne sont pas pour autant contradictoires.

Nous reviendrons plus loin à ces éléments.

Nous allons ici aborder le temps à l'intérieur de la vie institutionnelle, au moment où un personnage leader quitte l'équipe. Que se passe-t-il dans les institutions où le deuil ne peut se faire et comment le processus qui semble empêcher la terminaison de ce deuil s'élabore-t-il ?

Les dynamiques institutionnelles qui vont illustrer cette réflexion ressemblent à beaucoup d'autres parmi celles que j'ai pu identifier dans des institutions dont soit j'ai été membre, soit où je suis intervenue comme consultante systémicienne, soit que j'ai abordées avec mes étudiants dans le cadre d'un groupe de formation où nous étions tous amenés à réfléchir sur leurs contextes de travail.

Il est évident que, pour être complet, il serait important d'inclure dans cette lecture d'un fonctionnement institutionnel : l'intersection entre ce fonctionnement institutionnel, le fonctionnement de la population cliente, la carte du monde du membre observateur et peut-être même de chacun des autres membres de l'institution, ma carte du monde propre, et finalement la carte du monde du lecteur ici qui va réinterpréter le texte. Je ne sais pas si j'arriverai à intégrer dans la réflexion qui suit ces intersections et je pense donc que ce travail demeurera inévitablement lacunaire.

Premier cas de figure

Une équipe est dirigée par un créateur dynamique et interventionniste. Il a créé lui-même cette institution après avoir lutté bien longtemps pour démontrer son utilité. Par la suite, il s'est préoccupé de former les gens qu'il engageait afin que le travail réponde de plus près à l'objectif institutionnel qu'il a lui-même défini. Les réunions d'équipe auxquelles il participe servent, dans un premier temps, à approfondir l'approche et, dans un deuxième temps, à l'enseigner et à ramener sur le droit chemin ceux qui s'en éloignent. Lors de ce deuxième temps, la vie institutionnelle s'est « chronifiée » entraînant l'exclusion des membres non conformes au projet de départ. Les réunions s'appauvrissent, le contenu répétitif au travers des cas discutés, du modèle initial d'intervention finissant par lasser les engagés de la première heure. Seuls les stagiaires et bénévoles de passage venus pour apprendre se réjouissent de ces réunions et en renforcent le maintien. Lorsque ces stagiaires se lassent, leur position inférieure dans la hiérarchie les empêche de s'exprimer. Les autres membres de l'équipe taisent leur insatisfaction par respect pour le « maître » (et pour le protéger). Ce dernier, croyant toujours être écouté avec le même intérêt, continue à défendre « la loi ». Les retards, l'absentéisme et parfois les somatisations deviennent de plus en plus nombreux. Nous en sommes à une forme figée de fonctionnement où le patient identifié est tantôt le maître — à son insu lorsque les membres de l'équipe se plaignent de lui en son absence, sans être d'ailleurs conscients du prix que cela représente pour leur grande harmonie (« nous sommes une vraie famille ») —, tantôt un membre de l'équipe, « mauvais membre » peu respectueux du modèle et qui donc se fait rappeler à l'ordre. On pourrait s'attendre à ce que le départ d'un tel maître soulage l'équipe ; eh bien, non ! Si nous observons ce genre d'équipe, on constate bien souvent que l'après-règne se passe difficilement au point qu'on aboutit parfois au rappel de l'ancien dirigeant. On peut alors assister à trois évolutions possibles : ou un ancien membre de l'équipe obtient le statut hiérarchique du précédent, ou un autre leader est nommé venant de l'extérieur, ou aucun chef n'est nommé.

Un nouveau leader est nommé
venant de l'extérieur

Il se trouve devant un siège apparemment vide, mais occupé par le fantôme du chef précédent. L'organisation de l'équipe inclut toujours la participation de ce fantôme quels que soient les sentiments qu'il ait pu susciter chez les différents membres de l'équipe : haine, affection, soulagement lié à son départ, sentiment de libération, frustration, sentiment d'abandon, etc. Explicitement, l'équipe attend un « bon chef », meilleur ou au moins aussi bon que le précédent. En réalité, même si le départ s'est préparé longtemps à l'avance, l'absence physique ne s'installe, n'apparaît qu'en un temps très bref ; après une réunion (parfois d'adieu), « il » ou « elle » n'est « plus là » (et non « pas là »). Le travail de deuil en profondeur ne démarre qu'à ce moment-là... et la chaise est donc encore chaude bien souvent lorsque le successeur l'occupe... L'équipe, le système institutionnel, ne peut en général que maintenir le statu quo précédant le départ du chef. Le nouveau venu subit donc une pression, sous-tendue par l'attente qu'il reprenne le rôle vacant, même s'il fut haï précédemment, pour sécuriser l'équipe qui n'est pas prête à perdre ce facteur de cohésion intense qu'était la critique commune, le front unique, même secret, devant ou contre l'ancien dirigeant. En même temps, il reçoit le message suivant : « Soyez meilleur... mais permettez-nous de rester pareils à ce que nous étions grâce à l'autre. » Dans le cas où le nouveau chef fait mieux ou aussi bien que son prédécesseur maintenant sanctifié, l'équipe ne peut accepter qu'il prenne sa place ; s'il fait moins bien, on lui reproche sa médiocrité. Face à l'équipe insécurisée, se dresse un nouveau chef, insécurisé lui aussi. La réaction peut être la passivité complète de ce chef qui se laisse mener par l'équipe là où elle veut, à la plus grande insatisfaction de celle-ci.

La tension et les frustrations sont intenses aux deux niveaux, mais le non-dit, la difficulté de cerner le malaise, maintiennent le statu quo jusqu'à ce que, le niveau d'insatisfaction devenant trop intense, une réaction ait lieu : soit le chef se rigidifie soudain, soit l'équipe s'oppose de façon ouverte. Il arrive cependant que cette stabilité lourde demeure fort longtemps. Dans certains cas, le nouvel engagé réagira et essayera de bousculer le système à ses risques, mais parfois avec fruit. Le chef peut aussi d'emblée décider de prendre une place d'une façon qu'il a définie lui-même en répondant ou non à un des deux niveaux de la demande « doublement contraignante » de l'équipe (« Sois un vrai chef » — « Ne prends pas la place du chef qui est la place du fantôme car ce fantôme l'occupe et l'occupera toujours »). Il se réfère essentiellement à une carte où, probablement, le responsable est le novateur et où l'insécurité des autres ne peut que leur faire suivre avec soulagement le chemin ouvert par ce novateur. Dans quelle mesure n'y a-t-il pas également dans sa carte la « certitude » que tout novateur est incompris et doit forcément affronter le rejet des autres, rejet qu'il surmontera... ou qu'il subira s'« il est impossible d'innover, car nul n'est prophète en son temps, ni en son lieu ? ».

Tout ceci met en lumière la relativité de la notion de « pouvoir », qu'on la considère comme une attribution faite à un individu ou qu'on la perçoive comme une qualité intrinsèque et inaltérable d'une seule personne. Le pouvoir s'observe seulement dans un système de plus d'une personne, il caractérise alors certaines relations. Dès lors, se pose la question de la détermination par les différents membres du système de la (ou des) personne(s) sensée(s) être munie(s) de ce pouvoir et de l'établissement d'un assentiment général sur ce choix.

Sans un consensus, les individus qui « veulent » s'attribuer le pouvoir se voient poussés à agir de telle sorte qu'ils puissent gagner la reconnaissance des autres dans cette attribution. Si cet « avis » d'autrui est à ce point déterminant pour le vécu personnel de la possession du pouvoir, qui, en réalité, détient ce fameux pouvoir ?

Tout se passe comme si une certaine « dose de pouvoir » constante était distribuée dans le système, les uns l'attribuant à d'autres... tout en l'ayant puisque sans cette reconnaissance, les autres ne pourraient en jouir.

De là, ces jeux relationnels fréquents autour des pouvoirs occultes et hiérarchiques, des éminences grises ou éclatantes... dans les institutions comme dans les familles (cf. S. Minuchin [3] et sa notion de hiérarchies dysfonctionnelles dans les familles présentant un enfant parentifié ou un parent appartenant au sous-système-enfant).

Un ancien membre de l'équipe
devient directeur

La situation est peut-être encore plus complexe dans ce cas, car non seulement le même processus de deuil inachevé avec siège encore fumant existe, mais le nouveau directeur peut avoir eu des liens particuliers avec son prédécesseur, qu'il ait été son poulain ou le successeur haï, qu'il ait été le second attentif ou le jeune loup piaffant d'impatience, voire le rival. L'équipe entière a assisté et participé à cette relation « ancien-futur nouveau » l'alimentant par des alliances et des coalitions masquées ou ouvertes. Par ailleurs, l'accession d'un membre d'une équipe à un nouveau statut entraîne une modification de sa place dans la hiérarchie de l'équipe et altère donc la qualité particulière des relations qui l'unissent à chacun des autres membres de l'équipe. Comment contrôler le travail d'un ancien collaborateur, vérifier ses heures de présence, etc. ? Comment l'équipe vit-elle elle-même ces risques de changement ? Si le nouveau directeur est issu du clan qui s'opposait tacitement à l'ancien, de quel côté se trouve-t-il maintenant qu'il occupe la même position hiérarchiquement supérieure ? Que devient sa loyauté envers l'équipe, envers l'ancien chef qui l'a peut-être formé et poussé dans ce nouveau rôle ? Faire mieux que lui, n'est-ce pas rendre explicite le discours jusque-là non dit de l'équipe ? Faire moins bien que lui, c'est s'opposer aux attentes de l'équipe auxquelles on avait pourtant souscrit, c'est se montrer incompétent et risquer de perdre la place, c'est souligner l'erreur faite par « l'ancien » dans le choix de son successeur ? Agir comme son prédécesseur, c'est montrer l'impossibilité de se mouvoir autrement ; pour le système institutionnel, c'est continuer comme toujours. L'équipe peut s'en trouver réconfortée, vivant comme avant les anciennes insatisfactions qui la soudent. Relancer « démocratiquement » vers l'équipe une discussion sur « la définition du rôle du chef » peut entraîner un déséquilibre du système, chacun tout à coup ayant à définir de façon individuelle, différenciée, ses attentes. Qu'en serait-il de l'harmonie de l'équipe ? « Le chef a donc à savoir comment être chef ? » Ce n'est pas à l'équipe à le lui dire sinon il signale la preuve de son incompétence : voilà la parade permettant le non-changement. Les discussions courent furtivement dans les couloirs, des anciens membres de l'équipe rendent visite « discrètement » au nouveau chef, lui font des suggestions tout en restant prudents afin de ne pas être déloyaux envers leurs pairs. Ces conseils sont alors insuffisants ou incomplets.

Aucun chef n'est nommé

L'équipe flotte, essaye prudemment une petite nouveauté, retourne après un résultat insatisfaisant vers l'ancien mode d'organisation, innove à nouveau, revient sur ses pas. Elle est mal à l'aise, confrontée avec l'impossibilité d'attribuer les carences à une personne en particulier, puisque le « mauvais » chef n'est plus là. C'est la crise ou cela pourrait l'être si un bouc émissaire n'est trouvé rapidement, que ce soit en une personnalité leader qui prend les risques de proposer les innovations ou que ce soit en un membre quelconque de l'équipe que ses acting-out au travail (retards ou absences répétées, rapports non faits, etc.) désignent comme un responsable possible des échecs. La pseudo-démocratie entraîne souvent un renforcement de la rigidification, personne ne voulant occuper la place dangereuse du bouc émissaire, et personne dans le système n'étant prêt à mettre sur la table les tensions existantes. Le pouvoir occulte ne peut s'exposer de manière évidente ; préférant rester dans l'ombre, aucun leader ne se propose si ce n'est une personne sans impact réel.

L'absentéisme et les retards, la somatisation deviennent des symptômes mouvants et flous, portés par tous, du malaise... jusqu'à ce qu'émergent, soit la proposition de la consultation chez un intervenant institutionnel extérieur, soit le conflit ouvert permettant d'exposer les insatisfactions.

Ce conflit-crise, car il est un bouleversement dans l'organisation jusque-là maintenue par le non-dit, peut aussi bien entraîner un changement que servir de soupape permettant un retour en zone plus calme.

Il n'est pas sans importance de rappeler que toute cette dynamique intra-institutionnelle s'articule avec la population cliente entraînant celle-ci dans ses mouvances. Par ailleurs, une équipe en crise est particulièrement sensible au sens du vent, au fonctionnement des systèmes clients et en particulier à ses modes de résolution de problèmes. Nous sommes donc souvent alors en présence de renforcement d'isomorphisme institution-population traitée. On ne sait plus qui accentue chez l'autre le fonctionnement : les cas sont « plus lourds » permettant à l'institution de se calmer superficiellement en étant interpellée plus profondément par sa clientèle, devenue patient identifié de l'institution au sens large. Il se peut aussi que les familles clientes métacommuniquent (comme des thérapeutes) sur le fonctionnement de l'institution, la critiquent, renforçant ainsi le resserrement de l'équipe face à « ces familles qui essayent de nous trianguler ».

Deuxième cas de figure :
l'institution communautaire

Dans la mouvance des années 1968, se sont formées des communautés de vie à partir de groupes d'amis qui, dans un courant de réflexion idéologique et de remise en question de valeurs sociales et de fonctionnement institutionnel, ont décidé de créer une optique alternative au niveau de leur travail. Des règles ont été établies dans ces groupes avant même qu'ils ne se situent comme institution. Ces règles soulignent l'importance de la disponibilité absolue pour tout cas psychosocial ; elles valorisent l'égalité au niveau financier non sans un certain mépris pour l'argent et les objets de confort matériel, et prônent l'égalité de chacun des membres du groupe, quels que soient ses diplômes ou compétences particulières. Égalité pouvant aller à certains moments jusqu'à une forme d'indifférenciation. Si les membres de ce type de groupe vivent ensemble, ils assurent leur subsistance grâce à des revenus provenant d'autres formes d'activités professionnelles.

Dans un deuxième temps, des modèles d'intervention neufs et intéressants ayant été effectivement mis sur pied, le groupe contacte les pouvoirs publics afin d'obtenir des moyens financiers permettant d'élargir sa pratique ou d'appliquer des projets de type plus intensifs. L'argent arrive, l'équipe est reconnue équipe pilote, se définit progressivement comme institution et se trouve confrontée à de nouveaux problèmes liés à cette évolution : en même temps que l'argent, arrivent des possibilités d'engagements nouveaux permettant d'étoffer l'équipe initialement rudimentaire.

Par ailleurs, dans la même phase, on assiste à la création de familles dans les membres du groupe originel. Bien souvent, au moins deux membres du groupe initial forment un couple, qui s'installe dans la « maison mère », la « maison institution ». Au début, il peut d'ailleurs arriver que plusieurs membres du groupe partagent ce lieu pour y vivre. Petit à petit, certains fondent des ménages avec des partenaires extérieurs au groupe et vont s'installer ailleurs, le plus souvent dans le quartier avoisinant l'institution-mère où continue à séjourner le « couple central » (dont les deux membres font partie de l'institution). Le groupe essaye parfois de ramener les nouveaux partenaires vers l'institution, en vain dans certains cas. Lorsque l'argent arrive et que l'expérience est reconnue par les pouvoirs publics, on engage de nouveaux membres ; le temps a passé... L'équipe se trouve confrontée avec le fait que les valeurs sociales ont évolué : l'argent pour les jeunes qui se proposent à l'engagement est devenu une valeur non contestée et ceux-ci attendent donc d'être rémunérés normalement, d'une façon ajustée à leurs qualifications.

Le premier malaise qui apparaît est lié à la différence de salaire entre les anciens et les plus jeunes. Ces derniers ont un salaire égal ou plus élevé, tout en ayant moins d'expérience et une charge de famille moins lourde. Les partenaires de membres initiateurs du groupe qui eux travaillent dans d'autres institutions, dans d'autres entreprises du monde extérieur, commencent également à faire pression sur le groupe initial en demandant, eux aussi, une revalorisation du salaire ainsi qu'une modification du principe de disponibilité permanente.

A l'intérieur de l'équipe pourtant, le non-dit persiste. Le couple central, en effet, est devenu le couple modèle, une forme de mythe vivant à l'égal du Dalaï-Lama. Il personnifie, en effet, les règles initiales devenues mythiques : la disponibilité maximale (ils habitent dans l'institution mère et leur porte est toujours ouverte), le mépris de l'argent (ils en refusent, ils en ont peu), et l'indifférenciation, ou tout au moins l'égalité dans la mesure où ils sont prêts à faire n'importe quoi à la place de n'importe qui. Comment devant un couple tellement pur, tellement sain, restant fidèle à une mythologie élaborée dans l'ensemble du groupe, contester ces règles initiales sans contester ce couple lui-même qui prend d'ailleurs petit à petit un rôle parental, d'intouchables détenteurs de la loi ?

La vie institutionnelle est de plus en plus charpentée par des sentiments d'obligation pesants, un silence lourd, la culpabilité d'oser imaginer la critique de ce fonctionnement. Cette critique ne sera explicitée que plus tard au travers des nouveaux engagés. Ceux-ci n'ont pas dû souscrire au départ à l'ensemble des règles et n'entrent pas d'emblée dans le respect du couple central de dieux vivants. Il n'empêche que, même pour eux, la contestation n'est pas simple : il leur est reproché d'obtenir pour moins d'efforts un salaire plus confortable, et la culpabilité de cette forme d'inégalité les pousse plus souvent à se taire qu'à parler. Le nombre de projets commence à diminuer au sein de l'institution et l'absentéisme augmente. Si chacun se dit disponible à cent pour cent, personne ne fait réellement ses heures de travail. On touche un salaire minimal mais on détourne de l'argent. On est tous égaux mais on s'arrange pour éviter les corvées. Parallèlement la population-cliente désinvestit le centre, sentant probablement la déprime générale et la tension.

Cette institution est-elle en train de mourir ? A-t-elle finalement, de par son dynamisme, été une institution qui après avoir vécu doit mourir ? Peut-on la comparer aux institutions telles que l'hôpital psychiatrique qui a si peu vécu qu'il ne peut que rester dans son état de mort-vivant stagnant éternellement ? Tout se passe comme si les institutions rigides pouvaient ne jamais mourir à l'opposé des institutions qui ont eu leur heure de dynamisme.

Conclusions

Par ces deux exemples, qui sont des cas de figure, dans la mesure où plus d'une institution a pu vivre des évolutions similaires, je ne tiens pas à entrer dans une typologie des institutions. Il est certain que bien d'autres modèles singuliers existent et que toutes ces formes sont perçues au travers de la carte de lecture de l'observateur. J'ai donc présenté ici des cartes, ou des institutions, vues au travers de ma propre carte de lecture où le poids de la mythologie, le poids du non-dit ont un sens certain.

Comment concilier ces cas de figure avec les histoires institutionnelles singulières qui nous sont rapportées par ceux qui les vivent ?

Dans un précédent travail [2], j'avais évoqué que, si les représentations du fonctionnement institutionnel par différents membres d'une même équipe sont non identiques, isomorphes par ailleurs à leurs cartes du monde respectives, par contre elles ne sont jamais contradictoires. Les cas de figure présentés ici sont donc l'expression du « plus petit commun dénominateur » entre différentes visions du monde et amènent les questions suivantes : S'agit-il d'un reflet d'une réalité plus « objective » puisque perçue par tous les membres d'une institution ; ou cette vision commune, comportant des éléments universels, ou tout au moins fondamentaux dans notre société occidentale, résonne-t-elle avec chaque carte du monde ? Ce qui pourrait être le cas des métaphores qui abondent dans la littérature psychanalytique [5] du « Père » et/ou de la « Mère » dans l'institution, images qui sont projetées sur les figures responsables, hiérarchiquement ou mythiquement désignées pour « posséder » un maximum de pouvoir, quand ce n'est pas l'institution elle-même qui est investie comme Mère, englobant un directeur-Père...

Plutôt que d'analyser ce processus de façon linéaire, il me semble important de noter que la combinaison des lectures institutionnelles « p.p.c.d. » renforce au travers de leurs assemblages la cohésion de l'équipe et peut devenir aussi bien la source d'un changement que le fondement du maintien rigide du statu quo.

On remarque ainsi qu'une institution n'est pas un système d'emblée établi d'une façon mécanique, restant identique à lui-même, mais que le temps peut s'y arrêter comme dans une famille.

On peut se demander si l'appel d'un consultant institutionnel extérieur ne s'inscrit pas dans la volonté de maintenir ce temps arrêté : on attendrait de ce consultant qu'il apporte une soupape à un malaise tout en ne changeant rien au fonctionnement du système. On peut aussi émettre l'hypothèse qu'au contraire le consultant est introduit dans l'institution afin d'y permettre la résurgence du dynamisme (ou son apparition).

J'ai, en tout cas, constaté que bien souvent le consultant est introduit par les membres d'une institution qui profitent de son arrivée pour la quitter, comme s'ils attendaient que ce consultant occupe leur place, qu'il affirme ce qu'eux n'ont pas osé dire, qu'il leur permette de partir avec moins de culpabilité et moins de difficultés de l'institution. Dans d'autres cas, les institutions appellent un consultant par la voix de leur nouveau directeur ; celui-ci demande la mise à mort du fantôme avec l'autorisation d'occuper enfin une place de chef, à moins qu'il n'attende du consultant qu'il occupe lui-même la place du chef fantôme. Bien sûr, à nouveau, ces cartes ou ces lectures sont présentées au travers de ma carte. Je pense qu'il est important, à partir de ces deux exemples, de souligner combien les enjeux affectifs sont grands et combien les institutions, comme d'autres systèmes vivants, sont à comprendre en tenant compte également de la variable temps : le temps institutionnel qui se situe à la rencontre de différents temps, temps social (évolution des valeurs), temps des clients (évolution des pathologies), temps des membres de l'institution (évolution de leur maturation, de leur formation, de leurs expériences personnelles et familiales). Tous ces temps interagissent les uns avec les autres.

RÉFÉRENCES BIBLIOGRAPHIQUES

[1] ELKAÏM M., « Une approche systémique des thérapies de couple » in ELKAÏM M. (sous la direction de), *Formations et pratiques en thérapie familiale*, Paris, ESF, 1985.

[2] GOLDBETER-MERINFELD E., « Famille d'origine et institution », in ELKAÏM M. (sous la direction de), *Formations et pratiques en thérapie familiale*, Paris, ESF, 1985.

[3] MINUCHIN S., *Families of the slums*, New York, Basic Books, 1967.

[4] MINUCHIN S., *Familles en thérapie*, Paris, Jean-Pierre DELARGE, 1979.

[5] KAËS R. et al., *L'institution et les institutions. Études psychanalytiques*, Paris, Dunod, 1987, coll. « Inconscient et culture ».

8

FONCTIONS D'AUTORITÉ APPARTENANCE INSTITUTIONNELLE ET AUTORÉFÉRENCE

Catherine GUITTON-COHEN ADAD

Les prises en charge familiales en institution sont maintenant reconnues en Europe dans leur spécificité. Elles sont devenues un sujet de recherche sur lequel se penchent de nombreux cliniciens systémiciens (cf. Congrès de Bruxelles, février 1987).

Déclarées impossibles en France dans les années 1970-1980, ces prises en charge restèrent longtemps sous-estimées dans l'esprit des formateurs et des étudiants parce qu'elles déplaçaient constamment le problème de la supervision clinique et reposaient celui de la définition du setting thérapeutique et de la thérapie familiale. Ainsi la problématique institutionnelle rendait impossible la discussion : soit elle était présentée dans le discours de façon telle qu'elle masquait l'implication personnelle du thérapeute ; soit elle la modifiait, voire l'empêchait, réellement, dans le même temps. Ainsi éclatait le contexte d'une supervision clinique sur le système thérapeutique thérapeute-famille et le superviseur était obligé de s'intéresser à certains phénomènes intercurrents mais déterminants dans la situation qui l'éloignait de son objet initial.

Valeur défensive pour l'étudiant et/ou facteur de réalité dans la prise en charge familiale ? De toute façon, apparaissaient des métaconnexions fondamentales et des liens explosifs établis antérieurement, capables de prédéterminer la qualité et la formalisation des prises en charge par leurs interférences récurrentes.

La constance de ces difficultés agaçait suffisamment la curiosité pour qu'on s'essaie à en clarifier les logiques et les paramètres en action.

Après une expérience d'une douzaine d'années de travail clinique dans plusieurs institutions et avec le recul amené par plusieurs formations successives, je pourrai maintenant discerner *trois types de problématiques* de nature différente mais intriquées, tant sur le plan individuel que sur le plan collectif, qui président à la complexité du travail systémique en institution et de son intégration.

La question de la filiation institutionnelle : du collectif à l'individuel

La filiation institutionnelle se fait à travers la délégation d'une fonction d'Autorité aux soignants. Il est indispensable pour tout soignant appartenant à une institution d'être au clair individuellement avec la reconnaissance de sa filiation institutionnelle, c'est-à-dire ce qu'on appellera ici la reconnaissance de sa « fonction d'Autorité » avec ses limites et ses contraintes.

L'institution délègue pouvoir et autorité pour réussir des missions professionnelles. Le soignant parle et agit d'abord « au nom de ».

Mais il existe plusieurs formes d'*Autorité* (A. Bompart, P. Secrétan, P. Bochensky) qui répondent à des contextes, des hiérarchies et des systèmes de référenciation différents.

On peut distinguer ainsi :

— l'Autorité déontique qui appartient à celui qui est garant pour tous ;

— l'Autorité épistémique qui appartient à celui qui est garant de la cohérence épistémique d'un processus ;

— l'Autorité-commandement qui appartient à celui qui doit, sur le terrain, donner des injonctions pragmatiques.

Dans un service de soins psychiatriques, le chef de service portera l'Autorité déontique. Le médecin-référent portera l'Autorité épistémique. L'infirmier portera l'Autorité - commandement pour que se développe un processus de soins autour d'un patient et dans un cadre limité.

Si l'on change de niveau et qu'on étudie le développement du travail institutionnel en psychiatrie, selon les directives de l'État, on aura : le ministre de la Santé comme porteur de l'Autorité déontique, le chef de service comme porteur de l'Autorité épistémique et le médecin-référent comme porteur de l'Autorité-commandement.

On comprend donc que l'Autorité n'est ni une donnée définitive, ni une qualité personnelle : elle peut s'écrouler devant des actes.

« L'Autorité ne peut rien devant les faits » et elle « est le plus faible des arguments ». Elle se délègue et se construit constamment : les systèmes de référence et les fonctions d'Autorité varient selon des définitions des sous-systèmes qui sont considérés. A l'intérieur de ces cadres qui les définissent, les fonctions d'Autorité seront exercées par le soignant « en son nom propre » et sous sa seule responsabilité. Par « ces moments d'Autorité » singuliers exercés selon ses choix et ses facultés personnelles, il pourra devenir « référence » pour les autres membres de l'institution et participer à la progression de nouveaux processus.

Ainsi, tout en renforçant son appartenance institutionnelle, il trouvera l'espace pour se différencier individuellement à travers la forme de sa pratique.

Beaucoup de difficultés naissent et interagissent dans les initiatives prises par les soignants du fait de la non-reconnaissance de ce contrat de délégation d'autorité, originel dans le monde professionnel.

La question de l'affiliation et du respect de l'appartenance : de l'individuel au collectif

La démarche en retour après l'acceptation de la filiation institutionnelle, c'est celle de l'affiliation et du respect de l'appartenance. Cette démarche est due à l'institution et elle doit aller du soignant vers la communauté car c'est justement son appartenance à l'institution qui lui *garantit son identité professionnelle.* Selon l'expression d'A. Bompart, le processus d'affiliation doit être un processus « actif ». Le medium pourrait en être la *transmission adaptée des informations* aux instances concernées et aux instances décisionnelles (J.-C. Benoit) selon l'organigramme institutionnel en vigueur.

On sait que le signe le plus précoce d'un dysfonctionnement individuel intra-institutionnel est la mauvaise transmission des informations. Il peut arriver qu'un thérapeute familial débutant, qui essaie de mettre au point et d'intégrer les prises en charge systémiques dans une institution, confonde sa délégation institutionnelle (sa fonction d'autorité « au nom de ») et sa fonction de thérapeute systémique dans une prise en charge familiale (son autorité « en son nom »). De cette difficulté, de cerner ces espaces spécifiques et leurs connexions, naîtront inévitablement des difficultés intra-institutionnelles fondées sur des anomalies de transmission d'informations.

Le risque le plus grave, qui peut faire complètement échec à l'intégration des thérapies familiales systémiques dans une institution, consiste à *mettre en crise le fonctionnement institutionnel* de façon malencontreuse, à la suite d'un début de pratique avec les familles. En effet, il arrive que certains thérapeutes débutants se laissent entraîner — par la famille et par leur intérêt personnel — à vouloir gérer seuls une situation qui concerne tant l'institution que la famille. Ceci revient pour eux à succomber à l'illusion de la toute-puissance et à accepter la substitution (cf. M. Andolfi) proposée par la famille.

Dans ce cas, le thérapeute familial oublie son appartenance institutionnelle et le jeu des délégations spécifiques. Il risque aussi d'oublier son identité professionnelle et, dans une confusion permanente des différents niveaux d'analyse, de cumuler toutes les fonctions d'autorité, prenant la fonction de « chef de horde » local et se mettant en symétrie avec l'ensemble de l'institution. Ce type d'attitude provoque, avec plus ou moins d'ampleur, une crise institutionnelle qui, comme le définit J.-P. Le Moigne, va toucher simultanément quatre niveaux différents de fonctionnement de l'institution : le niveau organisationnel hiérarchique, le niveau temporel, le niveau épistémique et le niveau cognitif. Ce moment de chaos et « d'anarchie » générera une angoisse « non réductible à un cadre relatif » (selon l'expression de C. Saccu) et dont l'issue sera imprévisible. La remise en cause des paramètres d'institutionnalisation, de hiérarchisation et des fonctions d'autorité s'accompagnera d'un cortège de symptômes plus ou moins déplacés. Les enjeux de cette crise sont vitaux aussi bien pour l'institution (l'homéostasie du système) que pour les soignants en cause (enjeux existentiels et matériels, marginalisation individuelle, exclusion pouvant aller jusqu'à la désignation comme patient désigné).

Ainsi, voit-on que la mise en route de nouvelles formes de prises en charge en institution et la réussite de leur intégration nécessitent la résolution de quelques préalables individuels. Il arrive, en effet, que la réalité permette la collision entre l'ambivalence de l'institution et l'ambivalence des soignants comme un renforcement mutuel, tandis que s'amenuisent, de part et d'autre, la conscience du relatif et la distance critique par rapport à une pratique professionnelle.

Il est évident qu'ici le rôle de la *supervision clinique* et des *groupes de formation* sera longtemps nécessaire pour se resituer dans ces dynamiques enchevêtrées et réfléchir sur ses propres motivations et implications. Le travail sur les résonances selon le concept de M. Elkaïm (entre la famille du patient, les règles de l'institution, la famille d'origine du thérapeute, etc.) trouvera tous ses sens et toutes ses finalités, de même que la mise à jour du « syndrome de substitution » proposé par la famille (selon M. Andolfi) et les difficultés des dialogues « interfaces » inter-sous-systèmes institutionnels et inter-institutions (selon C. Sluzki).

Les questions posées par l'émergence d'un nouveau sous-système institutionnel : l'équipe de systémiciens et ses problèmes

A notre avis, le dernier type de difficultés pour les thérapeutes familiaux vient de l'obligation dans laquelle ils sont d'apprendre à gérer — ensemble, cette fois — les processus d'auto-organisation et d'auto-référence nés du travail à plusieurs, c'est-à-dire nés du fonctionnement vivant d'un nouveau sous-système humain. Ces processus émergent au fur et à mesure d'une pratique dans des contextes précis et il faut apprendre à les traiter dans les contextes où ils naissent. Ils déterminent la croissance de l'équipe mais peuvent aussi provoquer des boucles récurrentes circulaires qui l'enfermeront dans le cloisonnement. Ici apparaît la question des métamodèles en jeu pour la création d'un sous-système institutionnel et leur influence sur son développement et sa formalisation.

Reprenons ici l'exemple de B. Prieur où une institution avait fini par « bannir » littéralement la notion même d'épistémologie systémique de son vocabulaire. Il s'agissait de l'aboutissement d'une véritable « guerre de religions » où les soignants systémiciens, restés en poste mais interdits de pratique, s'étaient réunis pour fonder un syndicat.

La question qui vient à l'esprit est de chercher si ce qui sous-tendait la demande de formation en thérapie familiale systémique initiale n'était déjà pas en réalité de la même nature que celle qui aurait sous-tendu la demande de formation syndicaliste.

Ainsi voit-on comment on en arrive à toucher les niveaux personnels et même des mythologies originelles : la réussite de l'intégration des prises en charge familiales dans une institution dépendra aussi de leur éclaircissement et de leur dépassement.

Au total, l'intégration de l'épistémologie systémique dans une institution se fait par l'intermédiaire de la création d'un sous-système humain au sein de l'institution. Les questions soulevées par son émergence concernent :

— la reconnaissance de la filiation institutionnelle et de la nature du mandat d'autorité avec ses modalités d'application ;

— les processus d'affiliation et de respect de l'appartenance reliés à ceux de la différenciation ;

— l'apprentissage en commun du traitement des processus d'auto-organisation et d'autoréférence de ce sous-système ainsi que la mise à jour des métamodèles et des mythologies génératrices.

Seul un travail d'élaboration conceptuelle de ces différentes problématiques individuelles et collectives, permettra l'installation « d'agencements contextuels thérapeutiques » (cf. C. Guitton Cohen-Adad) fonctionnels et, précisément, limités dans la réalité institutionnelle et dans la réalité intrapsychique individuelle de tous les soignants thérapeutes familiaux débutants (Cf. E. Anastassiou et coll.)

Car enfin, il est clair que l'essentiel de cette démarche est de faire coïncider un espace réel institutionnel avec un espace mental de logiques, d'implications, de références, et de créativité afin d'inventer un autre espace et une autre temporalité qui permettent l'émergence de nouveaux repères signifiants pour les familles et pour l'institution.

RÉFÉRENCES BIBLIOGRAPHIQUES

ACKERMANS A., ANDOLFI M., ELKAÏM M., VAN CUTSEM C., *Histoires de familles*, Paris, ESF, 1987.

ACKERMANS A., ANDOLFI M. et coll., *La création du système thérapeutique*, Paris, ESF, 1987.

ANASTASSIOU E., BENOIT J.-C., CABANEL L., GARCIA C., GUITTON C., POULAIN M.-F., WATERNAUX B., « Le projet thérapeutique global », *Psychologie médicale*, 18, (11), 1986.

ANDOLFI M., MENGHI P., NICOLO A.-M., SACCU C., *La forteresse familiale*, Paris, Dunod, 1985.

BATESON G., *Vers une écologie de l'esprit*, t. I et II, Paris, Le Seuil, 1977, 1980.

BENOIT J.-C., *Les doubles liens*, Paris, PUF, 1981.

BENOIT J.-C., *L'équipe dans la crise psychiatrique*, Paris, ESF, 1982.

BENOIT J.-C., ROUME D., *La désaliénation systémique*, Paris, ESF, 1986.

BENOIT J.-C., MALAREWICZ J.-A., *Dictionnaire clinique des thérapies familiales systémiques*, Paris, ESF, 1988.

BOCHENSKI J.-M., *Vers une théorie de l'autorité*, Paris/Fribourg, Le Cerf/Éditions universitaires, 1980.

BOMPART A., L'événement psychique collectif, vol. 1 et 2 : compte rendu du séminaire, 1986, 1987.

BOWEN M., *La différenciation du soi*, Paris, ESF, 1984.

CAILLÉ P., « Plan mythique et plan phénoménologique » in *Familles et thérapeutes*, Paris, ESF, 1985.

CAILLÉ P., « Affrontement de modèles » in Compte rendu de la Quatrième journée du C.E.F.A., *Psychanalyse et thérapie familiale*, Paris, 1983.

ELKAÏM M. (sous la direction de), *Formations et pratiques en thérapie familiale*, Paris, ESF, 1985.

ELKAÏM M. (sous la direction de), *Les pratiques de réseau*, Paris, ESF, 1986.

FERREIRA A., « Les mythes familiaux » in WATZLAWICK P., *Sur l'interaction*, Paris, Le Seuil, 1981.

FISHMAN J., *Du symptôme à la généalogie*, Mémoire de psychiatrie, Paris, Université Pierre-et-Marie-Curie (Paris VI), 1987.

GOUTAL M., *Du fantasme au système*, Paris, ESF, 1986.

GUITTON-COHEN ADAD C., « L'aliénation, réalité et virtualité », in Compte rendu de la Troisième Journée du C.E.F.A., *Psychanalyse et thérapie familiale*, Paris, 1982.

GUITTON-COHEN ADAD C., « Fonctions d'autorité et agencements contextuels thérapeutiques en institution », Conférence au C.E.F.A., Paris, 12 novembre 1987.

GUITTON-COHEN ADAD C., *Instant et processus*, Paris, ESF, 1988.

HOFSTADTER D., *Gödel, Escher et Bach*, Paris, InterÉditions, 1985.

LE MOIGNE J.-L., « Crise », *Cahiers critiques de thérapie familiale et de pratiques de réseaux*, 9, 1988, p. 31-38.

MIERMONT J. et coll., *Dictionnaire des thérapies familiales*, Paris, Payot, 1987.

NICOLO A.-M., « Intervention sur les mythes », congrès IMRIF-IRIS, Fort-de-France, 29 décembre 1987.

PRIEUR B., « Règles à éviter et à respecter en institution » Compte rendu de la session intensive du CECCOF, Paris, été 1987 (à paraître).

SELVINI M., *Mara Selvini Palazzoli, histoire d'une recherche*, Paris, ESF, 1987.

SELVINI PALAZZOLI M. et coll., *Dans les coulisses de l'organisation*, Paris, ESF, 1984.

9

UNE APPROCHE THÉRAPEUTIQUE D'UN POINT DE VUE CONSTRUCTIVISTE

Carlo FILIACCI

Quelques concepts généraux à propos des organisations sociales clarifieront les principes sous-jacents à ma pensée et à mon travail comme thérapeute familial engagé dans des contextes institutionnels.

Les institutions sont des organisations autonomes et sont caractérisées par des fonctions autonomes, pour ne pas dire autopoïétiques [1], selon la terminologie de H. Maturana et F. Varela.

Elles maintiennent le même modèle organisationnel en dépit des changements structuraux. Elles « survivent » aussi. Le terme structure est employé pour définir les éléments constitutifs d'une unité composite, qu'il s'agisse d'un système vivant ou d'un système social et leurs relations. Par exemple, plusieurs bureaucraties qui se sont développées en Italie pendant la période fasciste ont survécu après guerre.

Les dénominations de leurs fonctions ont changé avec le temps mais les modèles organisationnels de relations, entre différents bureaux, que cela soit au niveau local ou au niveau national, sont restés les mêmes. Il y a eu maintien de l'organisation. L'aspect physique des bureaux, aussi bien que des bureaucrates eux-mêmes, a bien sûr changé à de nombreuses reprises, mais les institutions, en tant que telles, ont survécu. Il y a eu des changements structuraux.

Ce que je viens de décrire est similaire à l'observation classique en biologie du fonctionnement des organisations vivantes. Elles reconstruisent leurs molécules de protéines, leurs membranes, leurs fluides, etc., mais les relations entre ces sous-systèmes restent les mêmes.

J'utilise le terme autonomie suivant l'acception qu'en donnent des cybernéticiens comme H. Maturana, F. Varela, H. von Foerster, etc. Ceci est différent de l'idée d'autonomie comme elle est généralement entendue par de nombreux auteurs dans le domaine des sciences humaines et de la théorie générale des systèmes. Par exemple, P. Herbst (1962), T. Parson et J. Habermas, lient l'autonomie au concept de hiérarchie et aux relations entre les activités internes et externes à l'institution. Un article récent de H. Goolishian et al. [2] relève comment T. Parson, un spécialiste américain important des sciences sociales et qui a influencé d'une manière importante notre conceptualisation des fonctions sociales, considère le processus de socialisation en termes de structure en pelure d'oignon. Au centre se trouve l'individu sur lequel s'exercent des contraintes à travers le rôle social que la famille lui impose, ensuite se trouvent la famille soumise aux contraintes de la communauté et enfin la communauté sur laquelle s'exerceront les pressions de niveaux sociaux hiérarchiquement plus élevés. Il s'agit d'une hiérarchie de contrôle et de pouvoir s'exerçant par le haut et structuré par un rôle social. De la même manière, les institutions sociales sont nées dans leur structure administrative pyramidale et leur comportement est vu principalement à la lumière des politiques décidées au sommet de la pyramide hiérarchique. Cependant, P. Herbst lui-même [3] propose une approche des systèmes sociaux basée sur une logique qui respecte leur autonomie et leur nature auto-productive.

H. Maturana et F. Varela, comme cybernéticiens et biologistes, ont insisté sur l'idée que les relations qui constituent l'organisation d'un système peuvent être comprises entièrement en termes de processus internes à ce système.

Par ailleurs, je voudrais mettre l'accent sur le fait que l'autonomie et l'identité des systèmes vivants d'un côté et leur interdépendance dans le domaine du langage de l'autre côté, ne sont pas des concepts opposés mais complémentaires. Plus nous étudions l'histoire biologique individuelle d'un seul organisme et/ou de l'évolution des espèces, plus il apparaît que le « vivant » est le résultat d'une coévolution de l'organisme dans le milieu dans lequel il établit un couplage structural (existence). De la même manière, plus nous étudions l'autonomie des institutions, plus nous voyons les connexions entre elles dans leur adéquation coévolutive.

Des institutions comme les hôpitaux psychiatriques et les centres de santé mentale peuvent être vus en tant qu'organisations autonomes. Leur fonction est de contrôler et de contenir la crise créée par les forces de la maladie mentale qui, à un moment donné, brisent les frontières d'un système restreint (qu'il s'agisse d'une famille ou d'un autre groupe de personnes) pour atteindre un contexte social plus large. Et ceci, même si par ailleurs nous pouvons voir que cette crise a également comme fonction de « protéger » le système dans lequel elle est apparue.

Les agents de contrôle social, qu'il s'agisse de la police, des psychiatres, des magistrats, des administrateurs, des parents d'une famille, toutes les autorités en charge, attendent des hôpitaux, des cliniques et des travailleurs de la santé mentale, qu'ils soient capables de résoudre la crise.

Dans la littérature de thérapie familiale, nous voyons ce processus d'institutionnalisation décrit de différentes manières. Dans sa forme classique, le mouvement de thérapie familiale a nommé le patient individuel « bouc émissaire » du système. Dans une approche plus neutre, nous le décrivons comme « patient identifié ». Peu importe la manière dont nous étudions ce problème, nous avons à considérer l'adéquation des deux parties et leurs états autonomes interdépendants : d'un côté, les autorités qui présentent le patient et la crise ; de l'autre côté le système hospitalier et thérapeutique qui a mandat pour contrôler la crise. Lorsque ces deux systèmes se retrouvent ensemble, la famille et/ou les autorités en charge sont généralement sur la défensive et toute tentative de les inclure dans une situation de contrôle thérapeutique est extrêmement difficile.

Plusieurs auteurs et thérapeutes familiaux [4] aux États-Unis sont devenus extrêmement amers à propos de ce problème. Ils maintiennent que le domaine psychothérapeutique a été responsable de l'opposition de plusieurs parents et de nombreux membres de familles, si ce n'est des agents sociaux, en blâmant le « système » responsable du développement de la maladie mentale.

L'approche psycho-éducationnelle de la schizophrénie et de la maladie mentale est en train de devenir un outil extrêmement important dans l'arsenal des psychiatres américains. Ceci est apparu en partie en réaction à l'erreur fondamentale qui consistait à blâmer les mères pour le comportement schizophrène de leur enfant, à blâmer le père pour son manque de participation, à blâmer la fratrie pour leur rejet du patient identifié. On pourrait poursuivre la liste en fonction des différentes dynamiques familiales décrites, et ceci même si les thérapeutes familiaux n'ont jamais pensé en termes de blâme et même si l'approche en thérapie familiale a toujours voulu éviter de considérer que la maladie du patient identifié était due à l'une ou l'autre personne.

L'approche psycho-éducationnelle affirme que la maladie mentale est due à une maladie génétique et physiologique et que l'approche correcte est d'éduquer la famille quant à l'hypersensibilité neurophysio-logique du patient malade mentalement. Les membres de la famille peuvent aider en baissant par exemple le seuil des émotions exprimées dans la famille. Un environnement chargé émotionnellement pourrait être toxique pour le membre hypersensible. Ceci pourrait être décrit par certains comme une manière simpliste d'introduire la thérapie familiale. Mais j'y vois une faille fondamentale. S'y trouve en effet un message caché envoyé aux membres de la famille : les gens, médecins et thérapeutes inclus, sont ce qu'ils sont ; ils ne changent pas fonda-mentalement. Il en découle que personne n'est réellement responsable de la difficulté des relations interpersonnelles et qu'on ne peut y changer grand-chose.

D'après un article récent publié dans la section Sciences du *New York Times*, les recherches dans le domaine de la génétique humaine ont montré que certains traits de caractère personnel étaient liés à nos chromosomes. En conséquence, ils étaient difficilement modifiables par l'environnement. Émerge aujourd'hui dans l'opinion publique améri-caine, y compris celle des décideurs politiques de l'Association améri-caine psychiatrique, une tendance générale pour comprendre la maladie mentale en termes d'approche psycho-éducationnelle. Consi-dérée par un penseur systémique, cette vision dualiste de la vie réduit chacun à une étiquette, promeut une épistémologie de force et de con-trôle et rejette toute responsabilité dans le domaine physique, biochi-mique. Il n'est peut-être pas aussi simple de considérer comme solu-tion la prescription de médicaments antidépressifs pour la mère déprimée, de chlorimipramine pour le père obsessif ? Et après tout, pourquoi donner du largactil seulement au jeune membre schizophrène de la famille ? Une approche systémique respectant l'autonomie et l'interdépendance des cliniques, des institutions et des familles, peut tenter de transcender cette vision dualiste de la vie : d'un côté l'aspect psychologique, et de l'autre l'aspect biologique.

Le nombre de psychiatres, de travailleurs sociaux et de psychologues qui ont lutté avec ce problème est important. On peut commencer par citer le texte de Jay Haley sur la manière dont les institutions devraient éviter la thérapie familiale, continuer avec la recherche faite au Colo-rado Hospital en 1964 (F. Pittman, K. Flomenhaft, C. Young, et leurs collaborateurs) et leurs remarquables statistiques des cent cinquante cas traités par une thérapie familiale accompagnée de soutien social pour éviter l'hospitalisation par rapport au groupe de contrôle traité de manière traditionnelle. Et encore, les travaux de S. Minuchin et B. Montalvo avec les familles des ghettos à New York, et ceux de l'approche écologique-systémique de E.H. Auerswald qui furent parmi les premiers à défendre une approche thérapeutique ouverte vers le milieu extérieur. Et aussi le travail fait à Bruxelles par M. Elkaïm ou en Italie (M. Selvini-Palazzoli et son groupe de psychologues travaillant dans différentes institutions, écoles, usines, cliniques). Tout ce travail de pionniers a ouvert de nouvelles voies en thérapie familiale pour le contexte institutionnel.

Je considère l'article de M. Viaro [5] sur la description d'une unité de psychiatrie infantile à Padoue, en Italie, comme un bon exemple de comment « introduire en fraude » la thérapie familiale dans un contexte institutionnel. Dans ce travail, le contexte de thérapie est analysé d'une manière attentive et la « mentalité » de l'institution est respectée. La nouvelle approche colle dans une sorte de « symbiose silencieuse » avec le contexte de l'hôpital et a cependant une efficacité dans la coévolution avec la famille.

Dans ce travail, des procédures et des concepts, implicites dans leurs travaux précédents et ensuite répétés par d'autres, sont élargis :

1. Utilisation systémique du paradoxe thérapeutique.

2. Longs intervalles de temps entre les sessions.

3. Pratique de sessions individuelles avec le patient identifié, ce qui d'une certaine manière donne l'impression que les entretiens de famille sont moins importants et respecte le mandat du contexte institutionnel. Voici comment faire une thérapie familiale « sans en parler ».

4. L'importance de la circularité et de la neutralité dans l'entretien à des niveaux aussi bien verbaux que non verbaux, ce qui permet d'éviter de blâmer un membre quelconque de la famille.

5. L'omission du contrat thérapeutique : les réunions familiales sont suggérées d'une session à l'autre à partir de différentes motivations. Par exemple, dans les sessions individuelles, dans notre hôpital de jour, un génogramme et une histoire de la famille sont réalisés. Nous ajoutons qu'à la demande de l'hôpital et de l'administration, il serait bon d'avoir une rencontre familiale. Il est évident que pendant que les « faits » sont enregistrés, que l'information est collectée et que des questions circulaires sont posées, une partie importante de la thérapie se réalise. Les « opinions » et les « prescriptions » à la fin de la session deviennent une conclusion naturelle du processus qui est un processus médical dans sa structure.

A cela j'ajoute quelques idées à partir de mon expérience.

a) L'utilisation de lettres avec les opinions des thérapeutes et des prescriptions possibles. Ces lettres sont écrites d'une manière extrêmement attentive et envoyées aux membres de la famille, aux agents professionnels et aux psychiatres qui s'occupent du cas, avec la permission évidente du patient identifié qui, en général, peut lire ces lettres. Les membres de la famille et les travailleurs de la santé mentale sont ainsi engagés dans l'alliance thérapeutique.

b) Le respect et l'appréciation pour l'aide médicale psycho-pharmacologique et pour le soutien apporté par les différents contextes de soins et d'action sociale. En effet, une approche systémique n'est pas dualiste, toute intervention aussi bien médicale que sociale est bienvenue.

c) Enfin, l'auto-observation de l'équipe thérapeutique qui signifie aussi curiosité, flexibilité, mobilité dans la rencontre structurelle avec la famille et l'institution. Une attitude de l'équipe que j'estime nécessaire est une attitude de position basse et de soumission paradoxale. Très souvent, nous donnons à la famille des opinions du type : « Nous ne savons pas très bien que faire, nous pensons réfléchir avec une équipe de superviseurs experts dans votre cas particulier », ou bien : « Nous devons y réfléchir encore ». Le paradoxe est que nous n'abandonnons pas le cas.

Je voudrais aussi préciser que ce que je viens de dire est aussi la manière dont nous nous sentons embarrassés par notre ignorance, débordés par la complexité de la famille et nos luttes internes avec les différentes perspectives.

Jean-Claude Benoit [6] insiste sur l'escalade symétrique pour le pouvoir et le contrôle entre la famille et l'institution psychiatrique. J'ai observé cette dynamique dans ses formes extrêmes développée dans des centres psychiatriques très prestigieux qui se considèrent comme au sommet des expériences psychiatriques ; ceci amène les « parents parfaits » de l'autre côté à faire de leur mieux pour essayer de démentir la réputation de ces centres, car autrement ils se sentiraient eux-mêmes incapables et coupables. J'ai observé le même phénomène dans les institutions psychiatriques de l'État qui se considèrent aussi « spéciales » car elles ont le mandat de s'occuper des situations les plus difficiles et des situations de personnes criminelles présentant également des problèmes de santé mentale. La famille entre de nouveau dans une situation d'escalade symétrique. Dans ces deux contextes institutionnels, on retrouve le même déni du lien avec le contexte social dans un processus de se considérer comme si on était en haut de la pyramide. Leur épistémologie est plus influencée par des idées de pouvoir et de contrôle que par la collaboration et la coresponsabilité.

Je travaille dans un contexte institutionnel, situé entre ces deux extrêmes, tolérant et ouvert aux nouvelles idées. J'ai ainsi mis au point avec mon équipe quelques interventions utiles pour ces cas. Une de ces cliniques s'appelle « Upstate Clinic ». A New York City, Upstate fait penser à un paysage agréable de campagne, un bel environnement, à des institutions sereines et solides, à une manière traditionnelle de vivre. Notre message à la famille est le suivant : « Nous avons réfléchi et nous avons demandé de l'aide à des experts qui supervisent notre travail. Ils ont suggéré une ''clinique Upstate''. Nous ne connaissons pas bien cela et seuls nos experts ont de bonnes connexions pour cette clinique. Ils pensent que c'est réellement le mieux que l'on peut avoir pour un projet de recherche, une atmosphère remarquable avec des résultats extrêmement prometteurs et peu d'échecs, du moins jusqu'à présent ; mais avant qu'on puisse tenter d'avoir une place dans cette clinique, nous suggérons les étapes suivantes, etc. »

A ce moment, différentes instructions sont données à la famille et au patient. Le message sous-jacent est le suivant : il y a une place qui est meilleure que le mieux que nous puissions offrir. Nous sommes tous dans le même bateau d'un projet de recherche, similaire mais pourtant différent ; nous pouvons réussir si nous nous battons ensemble très fort. Comme J.-C. Benoit le dit : « Les forces systémiques consistent à réintroduire la circularité, l'oxygène de la relation. »

Pour l'intervenant systémique, trouver un espace qui tient compte de la construction du réel de la famille et de celle de l'institution, espace qui permet la création de nouvelles alternatives pour les différents systèmes en jeu, est fondamental.

RÉFÉRENCES BIBLIOGRAPHIQUES

[1] BEER S., préface à *Autopoïesis, and cognition, the realization of the living* par H. Maturana et F. Varela, Boston, D. Reidel Publishing Company, 1979.

[2] ANDERSON H., GOOLISHIAN H., WINDERMAN L., « Problem determined systems : towards transformation in family therapy », *Journal for Strategic and Systemic Therapy*, 19, 1986, p. 1-14.

[3] HERBST Ph. G., *Alternative to hierarchies*, Leiden, Martinus Nïjhoff Social Science Division, 1976.

[4] TERKELSEN K., « Schizophrenia and the family : Il Adverse efforts of family therapy », *Family Process*, 11, 1983, p. 191-200.

[5] VIARO M., « Case report : smuggling family therapy through », *Family Process*, 19,1980, p. 35-44.

[6] BENOIT J.-C., « De la rigidité à la négociation et de l'intra à l'extra hospitalier en psychiatrie de secteur », in Compte rendu de la Sixième journée du C.E.F.A., *Psychanalyse et thérapie familiale*, Paris, 1985.

Troisième partie

THÉRAPIE FAMILIALE
HYPOTHÈSE ET MANDAT

10

LE MANDAT
ET LA CIRCULATION DES SECRETS

Jacques PLUYMAEKERS

Pouvons-nous, dans le cadre d'un travail psychosocial sous mandat[1], introduire et mener des thérapies familiales dans de bonnes conditions ? Telle est depuis longtemps une de nos préoccupations essentielles.

Bien des expériences ont été tentées, beaucoup de formules essayées. Ainsi, certaines institutions ont créé des sous-équipes, voire des départements « thérapies familiales » ; d'autres ont proposé ce type de travail sous la forme « d'entretiens familiaux ». Et pourtant les objections désignant l'incompatibilité n'ont guère été battues en brèche : pour beaucoup, la contradiction demeure entre le contexte du « mandat » et la thérapie familiale. En effet, dans ce contexte de mandat, comment concilier la nécessité de contrôler la déviance et l'impératif de favoriser le changement [1] ? Le mandat crée une situation où l'aspect de contrôle social disqualifie les objectifs thérapeutiques. De plus, dans ce contexte, les familles ne formulent pas de demandes.

Le bien-fondé de ces objections nous amène donc à la conclusion que faire de la thérapie familiale sous mandat est sans valeur. Il faut cependant reconnaître que ces objections relèvent de la vision où la thérapie familiale serait de même nature que les autres thérapies : en d'autres mots, qu'elle exigerait un cadre espace-temps dans lequel une demande pourrait se formuler et se travailler[2].

Certains, en réponse à ces objections, ont cru pouvoir concilier mandat et thérapie familiale. Résumons leurs idées :

— création d'un contexte de collaboration entre professionnels ;

— abandon de tout esprit de compétition entre ces professionnels ;

---

1. Dans le cadre, par exemple d'équipe de milieu ouvert, d'institution psychiatrique, de foyer d'accueil, etc.
2. Plusieurs auteurs ont montré qu'en thérapie familiale la demande était à considérer autrement. Voir spécialement P. Caillé, « Quelques considérations sur la signification de la demande en thérapie familiale », *Thérapie familiale*, 5 (4), 1984, p. 349-357.

— clarification et respect des rôles de chacun ;

— reconnaissance des rôles de chacun ;

— élaboration des stratégies spécifiques [2].

D'autres encore ont pris le parti de rencontrer les familles dans leur cadre institutionnel mandaté tout en cherchant à éviter la contradiction disqualifiante en déclarant les entretiens « non thérapeutiques ». Je fus moi-même partisan de cette position [3] où l'on considérait l'approche systémique comme un outil excellent mais à vocation sociale et non pas thérapeutique. L'avantage de cette position était évident : elle permettait à bon nombre de travailleurs sociaux de prendre leurs responsabilités, de se montrer créatifs tout en respectant les orthodoxies thérapeutiques et médico-psychologiques.

D'autres, enfin, ont préféré parler « d'entretiens familiaux en institution ». Dans cette perspective, il s'agissait de préciser rapidement le cadre et les conditions de ces entretiens et tout spécialement la règle de loyauté absolue à l'égard du patient hospitalisé : en dehors de celui-ci, aucun contact n'était autorisé avec la famille [4].

*
* *

Pour ma part, je voudrais aborder le problème par l'autre bout de la lorgnette. On oublie en effet trop souvent que ledit problème en cache un autre ! Tout se passe comme si « faire de la thérapie familiale sous mandat » ne supposait pas que quelqu'un la mandate... qu'on choisisse votre institution pour ce service.

Avouons que nous ne doutons de rien ! D'un côté, nous désignons les contradictions entre mandat et thérapie familiale. Dans la foulée, nous tentons, par diverses manœuvres stratégiques, d'y échapper... et de l'autre côté, vu le succès grandissant de la thérapie familiale, nous faisons sans frein aucun de la promotion en sa faveur et, en prime, nous cherchons à être celui qui mndate ! Ce phénomène est patent chez les intervenants judiciaires (juges, délégués à la Protection de la jeunesse) comme dans les milieux socio-médicaux (responsables, directeurs d'école, généralistes, spécialistes confrontés à des problèmes d'ordre psychologique, etc.). Aux yeux de la plupart d'entre eux, la thérapie familiale apparaît comme une solution et ils la proposent (en cela, ils sont référents) dans le cadre de leurs règles habituelles. Ainsi, le juge sous la forme de mandat judiciaire, les intervenants sociaux de première ligne comme une suggestion pressante, les médecins comme « prescription », les spécialistes comme la conséquence de leurs diagnostics différentiels.

La notion de mandat

Compte tenu de ce qui précède, la notion de mandat comporte pas mal de nuances. On sait que tout référent donne à sa manière un mandat et surtout qu'il suscite une relation. Dans cette relation, il se positionne comme mandant, définit l'autre comme mandataire et laisse au troisième le rôle porteur, celui d'objet du mandat.

On connaît aussi les facettes multiples de la contrainte existant entre les protagonistes. Cette contrainte peut revêtir un caractère pénal, judiciaire, médical, moral, etc. De même, le statut des acteurs respectifs peut être très différent et organiser des cas de figure très variés.

On peut aussi distinguer les mandats selon une gamme qui irait du plus général au plus précis : par exemple, une institution de santé ou d'enseignement a un mandat général de la société. Une autre institution recevra un mandat général d'action spécifique : elle sera lieu de placement, de soins précis, d'assistance éducative... mais le choix des moyens lui est laissé. Ou encore un mandat très précis. Celui-ci recouvre alors une relation contractuelle, ainsi les mandats utilisés dans de nombreuses professions comme les notaires, les agents de change, etc. Évoquons de même les mandats liés au monde administratif, judiciaire et médical. Leurs formes tout comme leur durée peuvent varier : tutelle, placement d'office, expertise, guidance...

Dans certaines occasions, on parlera de mandat relationnel : par exemple, lorsqu'il est conseillé à quelqu'un de prendre contact avec tel centre de soins ou lorsque le généraliste fait appel à quelqu'un d'autre pour lui confier le cas. Le mandant se contente de conseiller quelqu'un d'autre : d'habitude on le nomme référent.

Plutôt que de rester dans la dualité des deux questions posées, en cherchant vainement à dépasser les objections, plutôt aussi que de partir en guerre contre les prétendants de la thérapie familiale sous mandat et ceux qui prescrivent des thérapies familiales, examinons ces questions comme les facettes d'une même réalité qu'une lecture systémique éclairerait. On verra alors apparaître un système ainsi défini :

Juge (ou décideur)	Intervenant-expert	Jeune et/ou famille
Organisation judiciaire	Organisation sociale ou de santé	Famille
Généraliste	Spécialiste	Cas

109

Dans le cadre de ce système, la contradiction apparente entre les réponses aux objections est réduite à une simple différence de « ponctuation » : l'enjeu serait de savoir qui des deux (juge ou famille)... qui des trois, devrais-je dire, « origine » le mouvement ou la demande. Un système où l'on pointerait trois pôles. L'analyse que je propose consistera à faire émerger ce qui ressort du programme officiel et ce que l'expérience nous a conduit, dans chaque situation, à distinguer comme règles implicites[3].

Que se passe-t-il dans ce « triangle » ?

Officiellement, quelqu'un ayant autorité (judiciaire, sociale, médicale) confie un troisième à un second. Celui-ci se fera un devoir d'agir pour le mieux à l'égard du troisième, tout en rendant compte au premier. On repère aisément les relations de ce programme officiel : premier et second constituent d'entrée de jeu une coalition pour le bien du (contre le...) troisième. Théodore Caplow nous a bien décrit cette logique générale des triades : c'est la coalition « deux contre un » [5]. Ici, il s'agit du programme officiel... quant au contenu de la communication, il s'agit du mandat, contrat unilatéral nous dit le dictionnaire ! Une chose est le programme officiel, autre chose est ce qui se passe sur le terrain : ici, notre expérience découvre à la fois la complexité des relations et combien les discours peuvent être différents.

Allons plus avant en prenant pour cadre le mandat judiciaire en protection de la jeunesse.

Un juge de la jeunesse est saisi d'une affaire où un jeune est en difficulté. Il fait sans tarder l'analyse que ces difficultés impliquent la famille. Sensibilisé à nos méthodes, il pense qu'une thérapie familiale serait sinon nécessaire, du moins utile. En accord avec sa fonction, il donne mandat à un centre de convoquer la famille et d'entreprendre avec elle une thérapie familiale. Voilà pour le programme officiel mais le tout est de voir comment le juge va, très concrètement, s'organiser avec la famille. Comment les relations vont-elles se définir ? Voici deux exemples concrets.

Patricia a-t-elle subi le même traitement que Benoît ?

Les B., jeune couple dans les 25 ans, ont été convoqués par le juge. La femme, actuellement enceinte, est mère d'une fille, Patricia, âgée de 4 ans mais aussi de Benoît, un garçon de 8 ans, né d'un autre père. Benoît a été placé par décision de justice dans une famille d'accueil du fait, paraît-il, de mauvais traitements chez les B. Les services sociaux, craignant que, selon la

---

3. Nous préférons « règles implicites » à « carte du monde » lorsque les membres du système sont ou peuvent être des entités composées de plusieurs acteurs, telles l'organisation judiciaire ou des « abstractions », tel l'« objet du mandat ». Pour programme officiel et carte du monde, voir M. Elkaïm « Une approche systémique des thérapies de couples » in *Formations et pratiques en thérapie familiale*, Paris, ESF, 1985.

rumeur, Patricia ne subisse pareils traitements, avertissent le juge, lequel convoque les B. La mère se présente à la convocation, accompagnée seulement de Patricia. Le juge cherche à comprendre et ne désire pas spécialement intervenir chez les B. de façon impérative : il préfère, dans un premier temps, se renseigner sur la famille. Il apprend ainsi que si les B. acceptent l'éloignement de Benoît, ils aimeraient tout autant le voir revenir chez eux. D'autre part, le juge a bien du mal à s'expliquer l'absence du mari tandis que, par ailleurs, il n'est jamais parvenu à déterminer de façon précise qui des deux maltraitait le petit Benoît ! Les soupçons cependant l'inclineraient plutôt vers une responsabilité maternelle. Il se voit d'ailleurs conforté par ce qu'il connaît de la famille de la mère : un passé de violence qui remonte aux grands-parents et qui avait, entre autres, entraîné le placement d'une sœur de la mère de Benoît. En revanche, la famille du mari semblait plus « normale », entendu par là qu'il n'y eut jamais de contacts quelconques avec des services sociaux.

Le juge va essayer en quelque sorte de s'allier avec la mère, acceptant que c'était peut-être la rumeur qui avait parlé, sans plus... mais que, compte tenu de la nouvelle grossesse, il valait mieux faire attention. Il ajoute alors que le retour de Benoît dans sa famille sera lié au comportement de la mère par rapport à Patricia et au nouveau-né. « Pour vous aider, dit le juge, je pense qu'il vous sera utile d'être suivie par un centre. Celui-ci vous proposera de faire une thérapie familiale. » Le juge cherche alors une adhésion minimale de la mère. « Je vous fais confiance. Tout cela ne me semble pas trop grave. Mais attention, je compte sur vous pour suivre régulièrement la thérapie. »

Les larcins de Marilène

Marilène L. est l'aînée d'une famille de cinq enfants. Elle travaille en stage dans une grande surface où une inspectrice l'a surprise en train de voler des produits de beauté. On la convoque en conséquence chez le juge dans le bureau duquel elle se retrouve en compagnie de ses parents... ou plutôt, le juge les reçoit et les écoute séparément. Celui-ci constate rapidement que le vol en question n'était pas le premier mais qu'aucun ne revêt un caractère de gravité exceptionnelle.

Marilène laisse la place aux parents qui, sans plus attendre, révèlent au juge que leur fille n'est pas une enfant comme les autres ! Elle a d'ailleurs été élevée en grande partie par la grand-mère maternelle. Ils ajoutent qu'encore enfant Marilène, à la suite d'une mauvaise chute, a fait une commotion cérébrale qui aurait laissé des séquelles. Ainsi : « Tout le monde vous le dira, Monsieur le Juge, Marilène n'est pas très maligne. Elle a même tout raté à l'école ! » Progressivement, le juge découvre alors que Marilène n'a pas été conçue par Monsieur L. Celui-ci a fait connaissance de sa femme, alors âgée de 17 ans et enceinte. C'est tout à son honneur d'avoir reconnu la future Marilène. Mais la grand-mère — vengeance ? rancœurs contre sa fille qui « fauta » ? — fit subir de mauvais traitements à la petite Marilène. D'où, semble-t-il, la fameuse commotion cérébrale !

Tout cela, selon l'appréciation du juge, ne s'appelle pas certitudes mais bien suspicions et même davantage ! Alors que les menus larcins de Marilène ne devaient pas entraîner de conséquences majeures, voilà le juge amené, devant les complications de ces demi-révélations, à décider pour la famille un contact avec une thérapie aux effets encore insoupçonnés. Les parents adhéreront de suite.

Quelques commentaires...

1. Ces deux exemples montrent bien l'enjeu habituel des juges : s'efforcer de faire adhérer la famille à la mesure et, pour ce faire, s'allier ou se concilier plus ou moins celle-ci. Le juge cherche à convaincre et pense qu'ainsi la mesure sera mieux acceptée et plus efficace. Parfois mais rarement, le juge avertit la famille sans commentaires et envoie le dossier au directeur du centre accompagné d'une ordonnance. A celui-ci de convoquer la famille et de se charger de l'explication. Cette façon de faire présente un avantage : le juge se pose sans ambiguïté comme « seul décideur », mais cela présente l'inconvénient de rejeter sur les autres la mise en route de l'intervention.

C'est cette nécessité d'obtenir l'adhésion du jeune et de sa famille qui est à mettre en valeur et qu'on retrouve dans la plupart des situations avec, bien sûr, les différences de style propres à chaque juge.

En fait, si l'adhésion est recherchée, c'est parce qu'elle contribuerait mieux que la contrainte à la réussite de la mesure. Dans un premier temps, elle semble faciliter directement le « mandat ». Eh oui ! si la famille adhère, pourquoi n'irait-elle pas de son plein gré au centre ?

Cette démarche d'adhésion apparaît cependant assez vite suspecte. D'abord, ne serait-elle pas simplement l'anti-coercition, son négatif idéologique... bien proche donc de la contrainte censée être évitée ? Et ensuite, ne serait-elle pas impossible et donc acquise par des moyens spécieux... ?

Qu'en est-il de la sémantique de ce concept idéologique ?

L'adhésion est une relation où toute contradiction est exclue en raison d'un intérêt supérieur. Elle est rarement le résultat d'un choix mûrement réfléchi. Elle dit plutôt un état de fait engendré par la démarche elle-même. L'adhésion et sa logique imposent l'exclusion d'éléments extérieurs qui *pourraient venir* objecter, contredire ou tout simplement critiquer... Cette notion serait à rapprocher de la loyauté avec laquelle s'inscrit chaque membre d'une famille dans le mythe familial [6].

Nos lois, tant françaises que belges ou québécoises, ont d'ailleurs proposé avec clarté cette recherche d'adhésion. Elle est ainsi proposée à tous les partenaires dans les cas de protection de la jeunesse. Les commentaires parlementaires qui accompagnent ces lois sont éloquents. Ainsi : « Le juge cherchera l'adhésion de toutes les parties aux décisions prises pour le bien de l'enfant. Même les avocats veilleront à ne pas aller à l'encontre de cet objectif. »

Il faut cependant savoir que la nécessité de faire adhérer aura un effet paradoxal : celui de constituer une coalition — éphémère peut-être — entre juge, jeune et famille. En effet, comment mieux engendrer une adhésion qu'en tentant un rapprochement où les intérêts des uns seraient les intérêts des autres et où émergerait la non-contradiction inhérente à l'adhésion ! Ce faisant, cette coalition juge-famille, appelée par T. Caplow « illicite », se fera contre le second et disqualifiera celui-ci (en l'occurrence, le thérapeute et son Centre)... au moment même où la coalition juge-famille parle du second en termes de compétence, d'efficacité et de sérieux !

On imagine sans peine ce que pourraient être les termes de la disqualification : « Oui, Monsieur le Juge, nous allons vous faire plaisir : nous irons chez ces fameux psychologues pour ''vos'' séances. Ne vous en faites pas ! Mais entre nous, ne croyez pas qu'ils y changeront quelque chose. » On comprendra aisément que le secret doive protéger cette coalition. Pour sa part, le juge agira sans peine ce secret entre les murs de son bureau, tant il est lié à la recherche de l'adhésion. Ce même secret, la famille aura moins de peine encore à s'y soumettre. Pourquoi d'ailleurs ne l'accepterait-elle pas ? Dès que jeune et famille se retrouvent dans les couloirs du palais de justice, ils se démentent leur adhésion et s'affirment leur désaccord indicible encore un instant auparavant. L'adhésion, c'est comme la colle forte : elle ne fonctionne que tant que la pression s'exerce...

2. La famille aura alors le choix entre deux comportements : ou bien elle contacte le centre pour que soit organisé le travail de thérapie familiale, ou bien elle attend une convocation. Si le premier comportement semble faciliter la tâche de ceux qui ont reçu mandat, il ne diffère pas tellement du second... du moins si l'on cherche à comprendre ce qui va se jouer dans le premier contact, lequel aura nécessairement lieu.

3. Tout naturellement, le jeu d'adhésion reprendra, bien que le programme officiel soit rappelé (nous sommes très clairs à ce propos,

affirment beaucoup d'intervenants !). Ce jeu de l'adhésion déniera dans les faits la coalition conformiste juge-équipe au profit d'une coalition thérapeute-famille, vécue comme la constitution d'un minimum d'efficacité. Dans un cas comme dans l'autre, l'adhésion cherche à obtenir la collaboration (voire la demande) de la famille, sans laquelle tout travail semble impossible.

Mara Selvini Palazzoli, habituée à obtenir demande et collaboration des familles, décrit comment, se trouvant devant des familles résistantes, non collaborantes, elle-même et son équipe ont, à certains moments, mis en évidence l'importance homéostatique du référent. Aussi, propose-t-elle une stratégie de mise à l'écart, de neutralisation de cet élément d'homéostasie. L'hypothèse me paraît plausible mais contestable. En effet, d'une part, on finirait par considérer qu'il existe des bons et des mauvais référents et, d'autre part, cette stratégie en fait confirme une démarche d'exclusion qui favorise l'adhésion [7].

Arrêtons-nous un instant et faisons le point.

Le programme officiel se veut donc clair : juge et thérapeute se doivent d'être alliés face à la famille (coalition conformiste) et en fait, dans le vécu de bien des familles, alliés contre elles. Mais à un autre niveau, ce même programme officiel entretient d'autres règles : dans un premier temps, la coalition illicite juge-famille ; dans un second temps, tout est fait en vue d'une coalition révolutionnaire dans laquelle thérapeute et famille s'allient et implicitement « mettent le juge à l'écart ».

Situation paradoxale ! Si la coalition illicite ou révolutionnaire se manifeste trop clairement, alors le programme officiel est totalement dénié. Si, par contre, le programme officiel est mis en avant, alors les coalitions vécues de fait seront déniées ou devront l'être. L'important est ici tout autant la prise de conscience de l'existence de coalitions que ce qui se joue entre elles comme secrets réciproques. Quoi qu'on fasse, nous serons, comme le dit Jay Haley [8], dans un triangle pervers dans lequel le pathologique est à la mesure du secret entourant l'une ou l'autre coalition.

Suffirait-il de dire, dans la mesure du possible, les coalitions et leurs relations contradictoires, en un mot : d'être clair ? Suffirait-il pour sortir de l'impasse de créer les conditions d'une bonne collaboration ? A notre avis, non ! En l'occurrence, volonté de clarté et de collaboration risquent d'accentuer les difficultés. Et cela est logique : que l'analyse soit correcte et la clarté sur un point force le secret sur l'autre ! La collaboration de l'un avec l'autre force la non-collaboration avec le troisième.

Dégager une stratégie

Faisons, au préalable, deux remarques.

1. Nous pensons que l'approche systémique n'est pas une technique, encore moins une stratégie visant à concilier l'inconciliable ou dépasser dans une collaboration les contradictions de la première donne d'un jeu : comme si l'approche systémique nous ferait éviter les pièges ou les doubles contraintes propres à bien des situations. Nous pensons que l'approche systémique est une manière de dire des règles : règles officielles et surtout règles implicites d'un jeu dans lequel nous sommes acteurs et — en l'occurrence — lecteurs. Dès lors, peu importent les pièges d'une première donne si une lecture systémique nous fait comprendre leur(s) fonction(s) toujours singulière(s). Comprendre comment cette donne s'annonce de façon spécifique entre le juge, nous et la famille. Et jamais ce n'est pareil, même si l'expérience relève des similitudes.

2. La lecture que nous venons de faire positionne les choses à un niveau de ce qu'on peut appeler les règles intrinsèques [9] au système délimité par nous : à savoir le mandant, le mandataire et l'objet du mandat (c'est-à-dire le juge, nous et la famille).

Ce niveau, en pointant ce que notre expérience a relevé de commun dans les situations de mandat, est intéressant pour guider les grandes lignes d'une stratégie applicable à ce champ. Mais il reste, bien entendu, que si des analyses à ce niveau sont nécessaires, elles ne sont cependant pas suffisantes : tout changement est aussi lié aux assemblages d'éléments singuliers, propres aux acteurs du système.

En définitive, que nous apportera cette lecture systémique en vue de préciser un modèle d'intervention ? Nous avançons l'hypothèse systémique suivante : le mandat et son jeu d'adhésion créent une situation régulée par un triangle pervers où le pathologique est à la mesure du secret entourant l'une et l'autre coalition. En d'autres mots : dans un tel système, le programme officiel entretient des règles implicites qui le disqualifient et réciproquement.

Notre hypothèse montre de suite qu'une stratégie consistant à exprimer clairement le mandat pour ensuite l'oublier... et commencer la thérapie comme si de rien n'était, n'est pas une solution. En effet, resituer — même fermement mais sans plus — la coalition officielle juge-thérapeute enclenche le secret sur les coalitions implicites, lesquelles rendront le travail thérapeutique dysfonctionnel, voire même impossible.

Quant à la stratégie, jadis fréquente, qui consiste à ignorer le juge et poser explicitement la coalition « révolutionnaire » comme seul cadre possible... elle aboutit à une telle disqualification du juge absent qu'au bout du compte celui-ci ne peut que reprendre son pouvoir — le pouvoir du membre absent — et disqualifier en retour ce qui se joue dans l'intervention.

A notre sens, la manière d'intervenir à la place du thérapeute peut s'articuler en trois temps.

Premier temps : délimiter un système d'intervention élargi.

— *Il s'agira de bien se resituer dans le système d'intervention* délimité par le juge, la famille et le thérapeute... où un membre est absent : le juge. Ce cas de figure est connu. Aussi, si nécessaire, nous utiliserons courrier, refus du secret, technique de la chaise vide, etc.

— *Resituer d'initiative le problème dans ce système.* Il faudra le resituer dès le début des contacts avec la famille. Bien sûr, celle-ci tentera d'expliquer comment elle perçoit la décision du juge. En général, elle attribuera au jeune la cause de ce qui lui arrive. Mais surtout et d'entrée de jeu, elle testera une possible « complicité » des intervenants : seront-ils des alliés ? Il faudra donc sans tarder travailler la question préalable : en quoi le juge et eux-mêmes ont-ils considéré la décision de thérapie familiale ou d'entretiens familiaux comme une solution ?

Rappelons-nous ce qu'est dans ce système le programme officiel : un premier confie un troisième à un second pour que celui-ci fasse en sorte que celui-là aille mieux et que cela soit rapporté au premier. Chacun y tient un rôle défini ; lorsque la famille rencontre le thérapeute, elle attend de voir comment celui-ci s'y prendra pour agir avec elle et faire rapport au juge.

Quand la famille rencontre le thérapeute pour la première fois, elle n'a pas à justifier sa présence ni même à exprimer son besoin d'aide. Elle répond à une convocation : c'est le juge qui pense qu'elle doit être aidée... et pourtant, ne nous y trompons pas ! Dans la présentation de son discours, la famille se conformera à ce qu'elle croit qu'on attend d'elle, c'est-à-dire demander de l'aide.

— *Prescrire le symptôme : la thérapie familiale.* Il est important de fixer les termes du programme officiel et de se reconnaître dans les liens d'un mandat, mais plus important encore est de percevoir le mandat de thérapie familiale comme symptôme [10]. Nous le prescrirons en accentuant sa dimension officielle et surtout sa symbolique. Nous sommes en effet des mandataires rémunérés et notre client, c'est le juge. Il nous faut lui rendre des comptes mais aussi le servir. Ce client a un problème, en l'occurrence avec telle famille : il ne voit pas clair, il n'en sort pas... et il nous paie pour « résoudre son problème ». Il ne faut pas craindre cette façon extrême de considérer le juge. L'audace de pousser ainsi jusqu'à ses limites le programme officiel revient à tracer la frontière entre celui-ci et les règles implicites qui s'instaurent. Prescrire d'emblée la thérapie familiale comme symptôme (et, à l'instar de tout symptôme, de la voir disparaître), tout en recadrant cette thérapie dans un contexte à la fois acceptable pour la famille et suffisamment inhabituel, rendra plus difficile la coalition thérapeute-famille.

Des voisins de la famille M. accusent le père d'avoir, semble-t-il, fait subir de mauvais traitements à son fils Jérôme (10 ans). Convoquée par le juge, la famille (père, mère, Jérôme et Julie, sa sœur aînée) est envoyée par ordonnance chez un thérapeute familial. Chacun s'installe, on commence. Le père prend l'initiative et s'adresse au thérapeute.

Père. — Avant tout, j'aimerais préciser ceci, monsieur. Comme vous le savez certainement, je dois dire que si on est tous là, c'est parce que, paraît-il, j'aurais frappé mon garçon.

Thérapeute. — Le juge m'a adressé des notes à ce sujet. Mais si vous le voulez bien, pourriez-vous me résumer en quelques mots comment cela se fait que de votre entretien avec le juge est née l'idée de thérapie familiale. D'ailleurs, qui...

Mère *(distante, compassée)*. — Jérôme a toujours été...

Thérapeute. — ... qui était présent ?

Jérôme. — Papa, maman et puis moi.

Thérapeute *(à Julie)*. — Et toi, dis-moi ce que tes parents ont raconté quand ils sont revenus de chez le juge.

Julie. — Rien, rien. Mon père a juste dit qu'on devrait parler avec quelqu'un.

Thérapeute. — Et à présent que tu es là, tu vois un peu mieux ce qui va se passer ?

Julie. — Ben non, pas vraiment.

Thérapeute. — C'est à la demande du juge lui-même que nous nous sommes retrouvés. Chacun d'entre vous a été invité et, à ce propos, je vous remercie d'être tous là. Mais il faut que vous sachiez que l'important pour moi n'est pas tellement de vous aider. Le juge me paie pour faire ce que je fais. Lui, il souhaitait mieux comprendre ce qui s'était passé avec Jérôme et il a pensé que je pourrais peut-être l'aider, parce que...

Mère *(tendue)*. — Le juge, il a bien répété que nous n'en sortirions pas seuls ! *(Elle regarde son mari.)* Je lui ai pourtant souvent répété qu'il devait faire attention. Vous savez, c'est un voisin qui ne nous aime pas...

Père. — ... Tu crois que c'est lui qui a porté plainte ? Vous savez *(sur un ton désolé)*, on s'est rendu compte qu'on avait besoin d'aide. Alors, on a dit oui.

Thérapeute. — Cela m'étonne. Il me semblait que vous vous étiez toujours bien débrouillés avec vos enfants... et que s'il n'y avait pas eu ce voisin...

Mère. — On n'est pas sûr sûr, quand même !

Thérapeute. — Excusez-moi, mais je ne comprends toujours pas pourquoi vous souhaitez être aidés ! D'où cela provient-il ? *(Il se tourne vers Julie qui remue sur son siège.)*

Julie. — Mon frère, il ne parle jamais. Alors, c'est normal, hein !

Thérapeute *(à Jérôme)*. — Qu'en penses-tu, Jérôme ? Moi, j'ai bien l'impression que si toi et ta famille avez obéi au juge, c'est parce qu'ainsi il serait content et que ça pourrait remarcher comme avant, hein ? *(Jérôme ne réagit pas.)*

Père. — Ce qui nous inquiète, c'est qu'avec nous il ne parle pas mais dès qu'on n'est pas là, avec ses copains et tout ça, il sait parler, notre Jérôme ! On dirait que c'est nous qui gênons !

Thérapeute. — Je vois que vous souhaitez me dire des tas de choses mais, moi, je dois en reparler au juge. Il faut donc que nous fassions comme s'il était là. N'allez donc pas me révéler des choses que je ne pourrais lui répéter !

Devant l'amplification du programme officiel, la plupart des familles se tiennent sur leurs gardes et dès lors refuseront ou restreindront la coalition avec l'équipe thérapeutique, à croire qu'elle ne savent plus sur quel pied danser ! Dans certains cas, elles augmenteront les marques de bonne volonté, accroissant ainsi leur comportement « révolutionnaire » au point de risquer d'en parler clairement et d'ouvrir la parole à ce niveau.

S'inscrire dans un premier temps dans la règle du jeu, c'est s'auto-riser à voir celle-ci fonctionner tout en la resituant dans un contexte différent[4].

Deuxième temps : vérifier la fonction de ce symptôme « sui generis » qu'est une thérapie familiale dans le cadre particulier du mandat.

Il n'existe pas de modèle général de la fonction de ce symptôme. Elle est à découvrir dans le vécu singulier des acteurs concrets en présence : telle famille, tel juge, tel intervenant. Cette vérification se fera rarement par l'énoncé de l'hypothèse. Elle passera plutôt par une actualisation de ce qui se joue par l'histoire et dans l'histoire qui se constitue dès qu'on est en présence de la famille. Chacun, en effet, a acquiescé et collaboré au symptôme pour des raisons qui lui sont pro-pres. Chacun a considéré que le mandat était exploitable : il va donc l'exploiter à ce second niveau, celui des règles implicites. A ce niveau, chacun joue son propre jeu, est agi et agit au mieux qu'il peut les règles du système. En ce sens, dans le jeu qui s'instaure, personne n'est meilleur ni plus fort. Pour le thérapeute, il s'agit ici de lire ce qui se passe, de multiplier les chances que se créent, avec la famille et le juge absent, des micro-événements qui feront une histoire commune et qui, il y a toutes chances, nous diront quelque chose de la fonction du mandat et en filigrane du jeu d'adhésion qui s'est joué et se joue encore sous nos yeux.

Dans une situation donnée, on ne peut prévoir la manière dont s'articulent l'impact du programme officiel et les règles implicites qui s'instaurent. Compte tenu de cela, amplifier le programme officiel d'un côté et de l'autre s'instituer lecteur des règles implicites, c'est une façon de faire qui permet de se tenir aux deux niveaux à la fois. Ceci rappelle la manière dont Mony Elkaïm [11] décrit l'importance de se situer « aux deux niveaux de la double contrainte réciproque », si l'on veut intégrer les contradictions qui émergent entre programme officiel et carte du monde dans les thérapies de couple.

Troisième temps : mettre à l'écart de l'équilibre le système « mandat » (juge, intervenant, famille).

Certes, il est difficile au cours d'une intervention de séparer ce troi-sième temps du second : il faut cependant en tracer les contours. Le thérapeute, en se tenant aux deux niveaux à la fois, met le système « mandat » à l'écart de l'équilibre. Mention est faite du programme officiel mais de façon tellement accentuée que la famille ne sait plus

---

4. Cela ne veut pas dire qu'à un niveau politique, un centre ne puisse pas décider de refuser le travail sous mandat. Cette position n'évite cependant pas qu'un certain nombre de situations se présentent sous cette forme.

que penser. Celle-ci, tout comme d'ailleurs le juge de son côté, hésite sur la position du thérapeute ; comment se situe-t-il par rapport aux règles implicites et plus spécialement aux coalitions implicites ?

Le peu d'histoire qui se crée à travers des micro-événements liés au départ au symptôme « thérapie familiale » présente en général suffisamment de singularités propres au système, donc en partie au thérapeute lui-même pour donner des chances aux différents membres du système (ici : famille, juge, thérapeute) de réorganiser créativement leurs relations, en l'occurrence celles du mandat.

L'évolution d'un système [12] n'est pas liée à une loi générale (ici, en l'occurrence, le mandat) mais aux propriétés intrinsèques de ce système : par exemple, la nature des intersections entre ses éléments (ici, le jeu d'adhésion et la façon de le jouer). Ces interactions peuvent provoquer un état instable, voire une séparation abrupte. Interagir, ce sera jouer à l'intérieur du système famille-juge-thérapeute.

Nous nous sommes efforcé, au cours de ces pages, de montrer ceci : accentuer le programme officiel « mandat », actualiser la fonction du symptôme « thérapie familiale » et donner place à l'absent. C'était en quelque sorte subvertir le jeu toujours possible par lequel l'adhésion de la famille était recherchée. En ce sens, ne nous apparaît plus aujourd'hui aussi critiquable d'ouvrir dans le cadre du mandat un travail de thérapie avec une famille, travail dans lequel, au hasard d'une bifurcation, une restructuration des relations juge-famille-intervenant pourra ouvrir de réelles possibilités de changement.

En agissant la thérapie familiale comme symptôme, on crée un contexte dans lequel la souffrance de la famille pourra se dire sans occulter le contexte de l'intervention judiciaire. La famille, utilisant cette intervention judiciaire à l'avantage de ses finalités propres, pourra alors se montrer créative dans ses relations. Un exemple déjà évoqué éclairera notre propos.

Nous avions donc travaillé sous mandat judiciaire avec la famille du petit Jérôme, réputé maltraité mais atteint de mutisme. Il faut savoir que les entretiens entre la famille et le thérapeute s'étaient poursuivis. Dans le cours de la thérapie, le symptôme de mutisme avait été connoté positivement et prescrit. Le thérapeute avait expliqué que, même si pour tous rester mutique était une souffrance, il ne voyait pas comment Jérôme pourrait faire autrement. Jérôme n'avait donc guère changé son attitude silencieuse et, ce, jusqu'à ce que surgisse un événement significatif. Le garçon, placé dans une famille d'accueil, revenait périodiquement passer quelques jours dans sa famille. Or, voilà qu'au cours d'un long dimanche pénible pour tous, vu la permanence insistante du mutisme du garçon, le père, d'un geste brusque et inattendu, vient à gifler le petit Jérôme. Et dans la minute qui suivit, voilà le garçon qui reprend un comportement normal ! Que s'était-il passé ? Les règles de ce système avaient été mises à l'écart de l'équilibre. Dans ce contexte s'imposaient nécessairement des régulations. Celles-ci ouvrirent à un comportement qui se révéla créatif. Ce n'était sûrement pas voulu au départ, et pour le père problématique de refrapper son enfant. C'est bien cette sorte de non-prise de position du thérapeute qui impose au père de Jérôme un comportement auquel il ne s'attendait pas lui-même, un comportement non désiré au départ. Instantanément, Jérôme avait récupéré sa véritable place au sein de sa famille. Nous disons que la mise à l'écart de l'équilibre du « système mandat » aura, par l'entremise du bras paternel, permis à la famille de trouver une solution au comportement figé de Jérôme. Jamais celui-ci n'aurait pu « guérir » tant que n'auraient pas été resituées les différentes relations. Autrement dit, rien de positif ne pouvait éclore aussi longtemps que le père n'acceptait pas de se voir et d'être vu tel qu'il était, c'est-à-dire capable de porter des coups à son fils. Sitôt qu'il a pu se resituer d'une autre manière par rapport à l'autorité judiciaire, les relations se sont renouées et le mutisme du garçon a disparu.

RÉFÉRENCES BIBLIOGRAPHIQUES

[1] HALEY J., « Thérapie et contrôle social » *Thérapie familiale*, 3 (2), 1982, p. 115-132.

[2] TAHON H., « Thérapie familiale et mandat pénal », *Thérapie familiale*, 5 (2), 1984, p. 189-201.

[3] PLUYMAEKERS J., Éditorial du *Bulletin* du RESO, 4, 1983, Paris.

[4] BENOIT J.-C., ROUME D., *La désaliénation systémique. Les entretiens collectifs familiaux en institution*, Paris, ESF, 1986.

[5] CAPLOW Th., *Deux contre un. Les coalitions dans les triades*. Paris, ESF, 1984.
BENOIT J.-C., MALAREWICZ J.-A. et coll., *Dictionnaire clinique des thérapies familiales systémiques*, Paris, ESF, 1988.

[6] FERREIRA A., « Les mythes familiaux » in WATZLAWICK P., *Sur l'interaction*, Paris, Le Seuil, 1977.

[7] SELVINI M., et al. « Le problème du référent en thérapie familiale », *Thérapie familiale*, 5 (2), 1984, p. 89-100.

[8] HALEY J., « Pour une théorie des systèmes pathologiques » in WATZLAWICK P., *Sur l'interaction, op. cit.*, p. 60-82.
Jay Haley se posait la question de savoir quel genre d'accord triangulaire

engendrait ce qu'on peut appeler un système pathologique, ou à tout le moins dysfonctionnel. J. Haley voyait trois caractéristiques :

1. les membres de ce système sont d'un rang différent dans la hiérarchie du pouvoir ;

2. dans les interactions, un membre d'un rang fait coalition avec un membre d'un autre rang contre le troisième ;

3. la coalition est déniée.

[9] ELKAÏM M., « Des lois générales aux singularités », *Cahiers critiques de thérapie familiale et de pratiques de réseaux*, 7, 1983, p. 111-121.

[10] CASTEL R., « La thérapie familiale comme symptôme », *Cahiers critiques de thérapie familiale et de pratiques de réseaux*, 4/5, 1983, p. 83-85.

[11] ELKAÏM M., « Une approche systémique des thérapies de couples » in *Formations et pratiques en thérapie familiale, op. cit.*

11

TRIANGLES FAMILIAUX, TRIANGLES INSTITUTIONNELS : POUR UNE APPROCHE SYSTÉMIQUE DU SERVICE PSYCHIATRIQUE PUBLIC

Luigi ONNIS

Prémisse

La nouvelle loi de réforme psychiatrique et sanitaire — connue sous le nom de Loi 180 — a profondément modifié l'organisation de l'assistance psychiatrique en Italie. La Loi 180 a, entre autres, interdit toute nouvelle hospitalisation dans les hôpitaux psychiatriques, acculant dès lors ceux-ci à la fermeture. Elle a transféré aux hôpitaux généraux, et uniquement en cas d'extrême nécessité, les hospitalisations volontaires et obligatoires, dans de petits services n'ayant pas plus de quinze lits. Elle a activé sur tout le territoire l'ouverture de services, appelés Centres de Santé Mentale (C.S.M.) qui sont devenus le pivot de l'assistance psychiatrique. C'est pourquoi, quand on parle en Italie de service psychiatrique public, on se réfère généralement à une structure territoriale donnant accès à des soins en dispensaire (plus d'éventuelles interventions à domicile) mais où l'on n'effectue pas d'hospitalisation.

La Loi 180 n'a pas résolu tous les problèmes ; bon nombre d'entre eux sont encore à affronter, tels que l'insuffisance des services, la formation des travailleurs de santé mentale souvent peu adéquate aux nouvelles tâches. Quant à la « culture » relative à la souffrance psychique, tant dans la demande des usagers que dans la réponse des services, elle est encore largement influencée par le modèle médico-biologique dominant dans la psychiatrie traditionnelle.

La structure où je travaille et dans laquelle on a suivi le cas que je compte vous présenter est la suivante. Il s'agit d'un service psychiatrique universitaire auquel s'adressent librement des usagers hétérogènes. J'entends par là que ceux-ci proviennent des différentes circonscriptions de la ville. Dans ce service, plusieurs groupes de travailleurs de santé mentale interviennent avec une orientation thérapeutique différente : médico-pharmacologique, psychanalytique (individuelle ou de groupe), psychodramatique et systémique (groupe dont je fais partie). Bien que l'aspect médical du service soit moins accentué qu'ailleurs (ainsi, personne ne porte de blouse blanche ; dans la salle des visites, pas de lit traditionnel où devait s'étendre le malade, etc.), l'administration de médicaments est encore courante, même par des psychiatres pratiquant la psychothérapie.

Du reste, les représentants des établissements pharmaceutiques circulent librement dans l'Institut et présentent leurs produits. En conséquence, l'image du service à l'extérieur reste largement celle d'un service où l'on soigne les malades au sens médical du terme[1].

Une situation clinique

Après avoir défini à grands traits le contexte de travail, examinons une situation clinique illustrant bien les problèmes qui peuvent s'y poser.

Anna, adolescente de 17 ans, arrive dans notre service, accompagnée de ses parents, proches l'un comme l'autre de la quarantaine. La mère est femme au foyer. Le père est portier d'hôtel mais, ayant été licencié dudit hôtel pour cause de réduction de personnel, il n'a plus de travail stable. Les parents — et spécialement la mère — sont très inquiets au sujet d'Anna. Depuis sept ou huit mois, celle-ci n'arrête pas d'être triste et déprimée, de se replier sur elle-même, de réduire progressivement ses propres intérêts. Elle ne va plus volontiers à l'école, où son rendement a beaucoup baissé. Elle a pratiquement interrompu toute relation avec ses amis pour passer de longues heures seule dans sa chambre, disant souffrir de fréquents maux de tête.

De nombreux médecins, neurologues et psychiatres ont examiné Anna. Ils ont formulé différents diagnostics et prescrit des traitements

---

1. Ces considérations me permettent de montrer la spécificité de l'organisation du service. A la différence d'autres services publics d'assistance, les services universitaires jouissent d'une autonomie relative : ils ne sont pas sujets aux pesanteurs du contrôle administratif. En outre, dans notre cas particulier, le médecin-chef, bien qu'ayant une formation essentiellement médico-biologique, adopte une attitude d'ouverture éclectique, favorisant la coexistence de plusieurs groupes de travail avec différentes orientations thérapeutiques. Cependant, malgré ces caractères dans l'ensemble favorables, le référent idéologique du service — c'est-à-dire l'image culturelle que donne le service et qu'il se donne lui-même — est de type médical. Il est dès lors compréhensible que cela confère un pouvoir particulier aux groupes et aux travailleurs agissant strictement selon cette logique.

pharmacologiques mais la situation ne s'est pas améliorée. Voici un mois, Anna a tenté de se suicider par l'ingestion en une fois d'une dizaine de pilules qui lui avaient été prescrites. Il s'agissait d'un appel à l'aide, bien sûr : immédiatement après l'ingestion, Anna en larmes avait tout raconté à sa mère. Une hospitalisation de quelques jours fut nécessaire au cours de laquelle Anna subit un lavage d'estomac.

A cause de cette tentative, les parents sont plus anxieux encore. Ils ne comprennent pas les motifs du comportement d'Anna : les raisons en sont mystérieuses et, à leurs yeux, incompréhensibles. Il est évident, reconnaissent-ils, qu'Anna ne va pas bien, elle est malade et il faudrait lui trouver un traitement efficace.

Cependant, entre cette manifestation d'anxiété et l'appel à l'aide exprimé — surtout sous forme d'une demande d'aide médicale — nous découvrons une précieuse information. C'est ainsi que nous apprenons qu'à la suite de la tentative de suicide et de l'inquiétude qu'elle suscita, le père avait laissé tomber un projet qu'il caressait depuis longtemps. Celui de quitter temporairement sa femme et sa fille pour chercher un meilleur emploi à l'étranger. Tandis que le père parle de ce projet, la mère reste immobile et silencieuse. Elle fixe son mari avec un regard chargé de ressentiment. Le regard transmet un message implicite : « Tu as voulu m'abandonner ! »

Arrivés à ce point, nous voyons plus clairement la situation. Il existe entre la femme et le mari une relation non définie. Celle-ci est chargée de tensions latentes où des facteurs objectifs (difficultés économiques, problèmes de travail) se mêlent à des facteurs subjectifs (problèmes de couple, craintes de séparation et d'abandon). Devant cette difficulté pour les parents d'exprimer leur relation, le symptôme d'Anna permet à la mère, sans affronter le problème conjugal, d'adresser une demande au père : « Ne t'en va pas, Anna n'est pas bien. » Nous nous trouvons devant un triangle classique. Entre la mère et la fille, il y a coalition où la définition du problème (la maladie d'Anna) sert l'homéostasie du système : les parents continueront à ne pas régler leur problème conjugal et Anna éloignera ses fantasmes de rupture de l'unité familiale.

Mais avant même que je propose une quelconque intervention, la mère a un geste inattendu. Elle sort une ordonnance de son sac et me la montre. « J'aimerais, dit-elle, savoir si vous êtes d'accord au sujet de ce traitement que votre collègue a prescrit hier à Anna. » L'ordonnance était signée par un psychiatre du service dont les bases de travail médico-biologique sont bien connues. Elle pose le diagnostic suivant : « psychose dépressive unipolaire avec somatisation ».

La mère, constatant que je n'avais aucune information à propos de cette intervention, m'explique que, la veille, Anna avait été examinée par ce collègue psychiatre. Celui-ci avait établi son diagnostic et rédigé la prescription pharmacologique avant de déclarer : « Le service dispose d'une possibilité d'entretiens familiaux. Si ça vous intéresse, autant en profiter avant de me retrouver pour un contrôle. Ça ne servira peut-être pas à grand-chose, mais ça peut toujours être utile. » La mère assura qu'elle et son mari étaient venus chez nous avec justement l'intention de ne rien négliger qui puisse améliorer l'état de leur fille.

L'absence de communication entre les différents groupes du service et l'implicite disqualification qui nous envoyaient la famille avaient contribué à la construction d'un nouveau triangle autrement plus complexe que le triangle familial. Ce nouveau triangle comprenait le système familial et deux sous-systèmes du service : celui des psychiatres biologiques et le nôtre, celui des thérapeutes familiaux. Une double condition nous manquait pour engager le processus thérapeutique et aider les parents d'Anna à définir leur relation et pour libérer Anna du triangle familial. Nous devions, *nous* les thérapeutes, à la fois définir *notre* relation avec les psychiatres biologiques et libérer la famille du *triangle institutionnel*[2].

Nous décidons donc d'inviter notre collègue psychiatre à la séance suivante. En présence de la famille, nous le remercions de sa collaboration et nous déclarons disposés à commencer une série de rencontres avec la famille. Nous manifestons cependant notre préoccupation à propos de la mère d'Anna. Ayant constaté son extrême anxiété, nous demandons l'avis de notre collègue sur l'opportunité de prescrire aussi un anxiolytique à la mère : cela l'aiderait à surmonter cette période délicate. Notre collègue, encouragé dans sa tendance à utiliser des médicaments, nous déclare son plein accord. Forts de l'alliance établie avec lui, nous ajoutons que, comme nous savons que son emploi du temps est habituellement chargé, nous pourrions suivre la famille également du point de vue pharmacologique. Le collègue nous remercie et nous abandonne la gestion entière de la situation.

---

2. La constitution de triangles relationnels, impliquant diverses composantes institutionnelles engagées dans la lutte pour le pouvoir et se répercutant de façon négative sur le patient, a souvent été décrite par des auteurs à orientation systémique ou non. Cf. Stanton et Schwartz [8], Caplow [2], Haley [3], [4], Benoit [1], etc. Ces descriptions font habituellement référence à des patients hospitalisés ou à des institutions de type hospitalier. Le cas d'Anna donne, en revanche, l'occasion de dire ceci. Une simple visite du patient en consultation suffit pour déclencher le risque de triangles institutionnels dangereux. Voilà pourquoi il faut qu'un thérapeute systémique délimite dès le premier contact le système, en l'élargissant aux composantes du service global.

Cette intervention nous permet d'atteindre deux objectifs.

— Avant tout, elle débloque le triangle qui s'était créé à l'intérieur du service par la définition de notre relation avec le psychiatre biologique dans les termes d'alliance et de collaboration. Elle évite aussi les risques de symétries — latentes ou explicites — qui n'auraient fait que renforcer la triangulation[3]. Le résultat ainsi obtenu est de faire sortir la famille du triangle institutionnel en bloquant d'éventuelles coalitions plus ou moins « perverses » qui auraient fortement entravé le travail thérapeutique.

— En second lieu, la façon dont s'articule l'intervention nous permet la redéfinition du problème et la sortie des difficultés liées à l'identification d'un malade désigné. En effet, la prescription pharmacologique va, du moins en apparence, dans le sens de la culture médicale du service : en réalité, cette prescription non seulement à Anna, la « malade officielle », mais aussi à un membre « sain » de la famille, renverse le sens de la prescription. Le message que transmet l'usage du médicament n'est plus : « Ça sert à soigner une maladie médicale », mais : « Ça peut aider de façon transitoire à mieux affronter des problèmes qui *ne sont pas médicaux*[4]. »

Sous des dehors de simplicité, l'intervention est complexe. Elle concerne les deux niveaux que l'on reconnaît dans le système - institution : celui des interactions entre les différentes composantes institutionnelles

---

3. Je précise, pour éviter toute équivoque, que l'intervention auprès du psychiatre biologique *n'est pas* seulement « tactique ». Elle commence à changer réellement la nature de la relation entre lui et nous. Elle la transforme par le passage d'une relation conflictuelle de disqualification et d'opposition à une relation de collaboration. La meilleure preuve en est que, par la suite, le psychiatre biologique nous envoya de nombreuses familles en thérapie : et ce, en toute confiance, sans disconfirmation ni interférence. Par ailleurs, ces considérations répondent implicitement aux objections justifiées des thérapeutes systémiques qui, travaillant dans les institutions et confrontés à divers modèles, déclarent : « Comment pourrons-nous faire la thérapie de nos collègues qui ont des orientations différentes des nôtres ? » En fait, il ne s'agit pas de « faire la thérapie » de celui qui est différent de nous (entreprise, de toute façon, arbitraire...) : il s'agit plutôt de recourir à une « intervention systémique » qui considérera la multiplicité et la diversité des composantes du service entier. Raison de plus pour substituer dans ce cas le mot « approche » systémique à celui de « thérapie », quand on se réfère au travail dans le service.

4. Ce cas particulier peut nous aider dans la découverte du sens « systémique » à donner à l'usage des médicaments dans un service. D'autre part, la question est fréquemment posée de savoir si l'usage des médicaments est compatible avec une approche psychothérapeutique, qui, comme l'approche systémique, se propose avant tout de dépasser la définition d'un problème en termes de maladie. A mon avis, la question ne peut pas se poser en termes d'opposition radicale : médicaments oui/médicaments non (position qui n'est pas du tout systémique !). Nous proposons que l'emploi des médicaments, lorsqu'on ne peut s'en passer, soit *redéfini* en vue d'acquérir un sens *relationnel*, s'insérant ainsi dans une thérapie restée systémique.

et celui des significations attribuées à ces relations (P. Caillé les appelle « niveau phénoménologique » et « niveau mythique ». Nous y reviendrons). Ce qui se passe au niveau interactif dans la relation entre le psychiatre biologique et la famille (« Je vous prescris ces médicaments ») correspond au niveau des significations, dans le contexte de l'histoire et de la culture médicale du service, à une définition de maladie (« Anna est malade »).

On constate que les deux niveaux se renforcent circulairement d'une façon récursive. L'intervention touche justement le point de récursivité entre ces deux niveaux. Au niveau phénoménologique des interactions, elle définit la relation en termes de collaboration (« L'usage des médicaments n'est pas une alternative au recours à la thérapie familiale »). Parallèlement, au niveau mythique des significations, elle remplace une épistémologie linéaire de type médical par une épistémologie circulaire de type systémique dans lequel on peut même inclure l'aspect pharmacologique. Ce changement débouche sur un univers de significations plus ample et différent où ne s'inscrit plus par nécessité une définition en termes de maladie[5].

Finalement le début d'une thérapie pour la famille d'Anna partira de cette redéfinition implicite qui remet en discussion la désignation de la maladie. Les triangles institutionnels étant débloqués, on peut constituer un système qui possédera le sens et l'efficacité d'un « système thérapeutique ». Dans ce système, on pourra engager un processus coévolutif qui, à travers de nouvelles « constructions du réel », amènera un changement.

Mon propos n'est pas la description du parcours thérapeutique en compagnie de la famille d'Anna. Disons seulement que la jeune fille, à un an de la fin de la thérapie, n'a plus rencontré de nouveaux problèmes. Elle travaille comme secrétaire dans une étude d'avocat. Les relations inter-parentales se sont beaucoup améliorées et le père a trouvé du travail. Je tiens à souligner qu'on n'aurait pas obtenu de résultats, ni que la thérapie n'aurait pu être menée à bien si l'on avait prétendu affronter la situation en se limitant à l'examen de la famille sans tenir compte du contexte institutionnel.

---

5. Il est outre important de souligner la manière dont le système thérapeutique ainsi construit (prévoyant une collaboration entre thérapeutes qui conservent cependant leur spécificité et leur différence) se propose comme modèle et possède donc une signification immédiatement thérapeutique pour une famille fortement enchevêtrée, où les processus de différenciation des membres sont vécus, non dans la perspective de formes plus mûres de collaboration, mais comme de menaçantes possibilités de rupture.

Comme opérateur travaillant dans une optique systémique, je crois que le premier problème à évaluer est la claire définition du système sur lequel intervenir. J'ajoute qu'il ne sera jamais question de se borner au système familial ou au système famille-thérapeute. Il faudra aussi englober l'interaction entre patient-famille-thérapeute-service. En somme, le service entier comme système.

Commentaires

Je vous propose à présent quelques commentaires à partir du cas présenté. Mon objectif est de mettre en évidence les différences essentielles entre la thérapie familiale pratiquée en dehors du contexte institutionnel (dans un cabinet privé, par exemple) et le travail systémique de celui qui opère « dans » un service. Donnons-en trois aspects importants : la demande, le contexte institutionnel, les modalités de travail.

La demande

La demande d'assistance qui arrive à un service est presque toujours confuse et vague. En tout cas, elle est bien différente de la demande d'assistance qui aboutit dans les cabinets privés où, déjà sélectionnée, elle s'exprime sans détour comme demande thérapeutique. La demande qui aboutit à une structure de service public tend d'habitude à se conformer, à « se modeler » sur les réponses fournies traditionnellement par les services. La demande finit aussi par s'exprimer à travers la succession des étapes de la rencontre avec les services sous forme d'une demande d'intervention médico-pharmacologique... et cela de façon quasi constante. Mais le cas d'Anna (tout comme l'inépuisable lot d'exemples de la même veine) nous démontre clairement ce qui suit. La définition du problème en termes de maladie est la modalité à travers laquelle le système s'enferme sur sa propre homéostasie, perd le sens des besoins véritables et celui de son histoire propre et, enfin, bloque ses capacités d'évolution. La réponse médicale du service qui consacre la maladie amènera le renforcement des tendances les plus homéostatiques et dysfonctionnelles du système. Dans ce sens, on peut dire que les services sont de vrais « producteurs et reproducteurs de pathologie ». Souvent, je cite à ce propos une recherche italienne démontrant de façon provocante qu'il n'est plus possible de parler d'épidémiologie des maladies mentales mais plutôt d'une « épidémiologie des interventions psychiatriques institutionnelles ». Faut-il rappeler que ces dernières sont la source principale de cette

« construction de la réalité » bien particulière que l'on nomme « maladie mentale ».

Étant donné que les demandes arrivent aux services avec ces caractéristiques habituelles, l'indispensable premier acte de tout processus thérapeutique sera la « reformulation de la demande » [7].

Le contexte institutionnel

La tradition médicale, aujourd'hui encore, influence largement le service tant dans sa culture, dans ses instruments thérapeutiques, dans l'organisation hiérarchisée des fonctions (d'où des processus de collaboration difficiles), que dans la subdivision des interventions par secteur (d'où l'absence de circulation des informations). L'introduction d'un travail systémique dans un service entraîne inévitablement des contrastes et des conflits entre les divers niveaux institutionnels. Contrastes et conflits, en particulier, entre un contexte thérapeutique cherchant sa définition et son organisation dans un sens systémique et un méta-contexte restant caractérisé dans un sens médical [5].

Ces considérations ont une répercussion immédiate sur le plan pratique. En effet, les développements et les succès des processus thérapeutiques dépendent de la façon dont l'opérateur réussit à affronter et à résoudre le conflit entre les différents niveaux institutionnels. A cet égard, le cas d'Anna le démontrait de façon évidente !

Les modalités de travail institutionnel de l'opérateur systémique

Ce troisième aspect est la conséquence directe des deux premiers. A la lumière de ce que j'ai exposé, un thérapeute orienté dans le sens systémique ne peut se limiter à faire dans un service la « thérapie de la famille » au sens propre. Et ceci pour une raison simple mais essentielle : lorsqu'on travaille dans un service, la famille que l'on prend en thérapie ne constitue qu'un des différents sous-systèmes institutionnels dont le thérapeute doit tenir compte. Comme le cas d'Anna nous l'a fait comprendre, il est impossible de faire la thérapie d'une famille si l'on n'entreprend pas un travail systémique sur le service entier. Voilà pourquoi, lorsqu'on se réfère aux définitions des services et institutions, le terme même de « thérapie familiale » me semble incorrect. Il devrait être désormais remplacé par « approche systémique » [6].

Sans aucun doute, la résistance du service à mettre en discussion son propre équilibre, tant du point de vue culturel que du point de vue de l'organisation, fait que la thérapie familiale sera plus facilement acceptable et encouragée comme « technique de spécialiste pour la famille ». Elle ne serait qu'une technique *comme* les autres et *parmi* les autres. Ou encore : faisant référence au cas d'Anna, elle serait... la « technique de la porte à côté ».

Pour l'intervenant, cette tendance est non seulement réductrice et simplificatrice mais, surtout, elle prive le travail thérapeutique de toute potentialité et efficacité. Nous l'avons constaté dans le cas d'Anna : les résultats de la thérapie, voire la possibilité d'engager le processus thérapeutique, dépendent de la manière dont le thérapeute se situe dans le service. Ce qui signifie : *comment* il y manœuvre « stratégiquement », *comment* il définit le système thérapeutique et le met en relation avec les autres sous-systèmes du service, et, en dernière analyse, *comment* il réussit à faire un travail systémique *dans* et *sur* le service.

Il me semble que si l'on veut construire une théorie systémique de l'institution, il faut, au préalable, éviter d'être justement des « techniciens de la porte à côté ». Mais, pour ce faire, l'intervenant doit abandonner son petit coin neutre, non contaminé et prétendant avoir une position externe, étrangère à ce qui se passe dans le service. L'intervenant doit prendre place à l'intérieur même de la réalité institutionnelle comme coresponsable et coparticipant de sa construction.

RÉFÉRENCES BIBLIOGRAPHIQUES

[1] BENOIT J.-C., « La théorie systémique dans la pratique psychiatrique institutionnelle », *Thérapie familiale*, 5 (4), 1984, p. 383-393.

[2] CAPLOW T., *Deux contre un*, Paris, ESF, 1984.

[3] HALEY J., « Pour une théorie des systèmes pathologiques » in P. WATZLAWICK et coll., *Sur l'interaction*, Paris, Le Seuil, 1981.

[4] HALEY J., *Tacticiens du pouvoir*, Paris, ESF, 1984.

[5] ONNIS L., « La thérapie familiale dans les institutions et dans les services territoriaux : utilité et limites », *Cahiers critiques de thérapies familiales et de pratiques de réseaux*, n° 2, 1980, p. 39-49.

[6] ONNIS L., « Approche systémique et travail dans les institutions publiques : technique thérapeutique ou méthode de changements ? », *Cahiers critiques de thérapie familiale et de pratiques de réseaux*, 4/5, 1982, p. 97-103.

[7] ONNIS L., « Le ''système demande'' : la formation de la demande d'aide selon une perspective systémique », *Thérapie familiale*, 5, (4), 1984, p. 341-348.

[8] STANTON A.H. et SCHWARTZ H.C., *The mental hospital*, New York, Basic Books, 1954.

12

HYPOTHÈSE INITIALE : TENTATIVE D'ANCRAGE DANS LE FLOT TURBULENT DES ÉVÉNEMENTS

Robert PAUZÉ et Linda ROY*

> « Il est dans la nature des choses qu'un explorateur ne puisse pas savoir ce qu'il est en train d'explorer, avant qu'il ne l'ait exploré. Il ne dispose ni de *Guide Michelin*, ni d'un quelconque dépliant pour touristes qui lui dise quelle église visiter, ou dans quel hôtel loger. Tout ce qu'il a à sa disposition, c'est un folklore ambigu, transmis de bouche à oreille, par ceux qui avant lui ont pris le même chemin. »
>
> Gregory BATESON [2]

Une équipe de psychiatrie demande à un centre d'accueil[1] de recevoir un enfant présentant de sérieux troubles de comportement : il est agressif tant à la maison qu'à l'école. Ses parents n'arrivent plus à le contrôler ; ils sont dépassés par la situation.

De prime abord, cette demande correspond exactement aux exigences du service auquel elle s'adresse (Onnis [8]). De plus, elle est formulée par une équipe d'intervenants en psychiatrie qui savent sûrement ce qu'ils font et ce qu'il faut faire pour cet enfant. Compte tenu de la recevabilité de la demande et de la crédibilité du référent, le centre d'accueil ne voit aucune objection à recevoir cet enfant, bien au contraire.

---

* En collaboration avec Danielle Basque, Michel Bouchard, François Chagnon, Alain Dalpé, Michelle Gagnon, Odette Laviolette, Jacques Mercier du centre d'accueil « La Clairière » à Montréal.

1. Centre d'accueil : institution recevant des enfants ou des adolescents considérés comme mésadaptés socio-affectifs. En général, chaque institution est composée de plusieurs équipes éducatives pouvant accueillir de douze à quatorze enfants chacune.

Par ailleurs, en acceptant de répondre à cette demande :

— sans se questionner sur le rôle du demandeur dans la problématique présentée ;

— sans identifier l'ensemble des personnes concernées par le problème ;

— sans saisir les différents enjeux en opposition ;

— sans comprendre la fonction du placement en centre d'accueil ni le rôle et la place du patient identifié dans ce grand ensemble interactionnel ; les intervenants de l'institution risquent de refaire le même trajet que celui déjà suivi par les intervenants en psychiatrie. Qui plus est, en centrant leur attention sur les problèmes présentés par l'enfant, ils vont inévitablement se fixer sur les symptômes présentés par celui-ci lors de son séjour en centre d'accueil et oublier que toutes ces conduites peuvent avoir un sens et une cohérence dans ce grand jeu interactionnel. Enfin, en voulant soulager la famille de son problème (l'enfant), l'institution contribue parfois, et de façon bien involontaire, à confirmer l'enfant non plus comme sujet mais comme cause du problème.

L'hypothèse systémique : pierre angulaire d'un travail en institution

Dans notre travail comme consultants en centre d'accueil, la plupart des demandes concernaient des enfants présentant des troubles de comportement qui s'étaient aggravés en cours de placement. Généralement, ces jeunes étaient en centre d'accueil depuis une, deux années, parfois même plus. Quand nous questionnions les éducateurs au sujet de la famille nucléaire et élargie de ces jeunes, de leur contexte social et économique, nous étions souvent étonnés de voir combien ceux-ci disposaient de peu d'informations[2]. Nous avons réalisé aussi que, lorsque nous travaillions avec eux à refaire l'histoire du placement, à identifier les motifs et les enjeux de départ, à identifier l'ensemble des personnes significatives dans la vie de ces enfants, les relations entre elles, la place que pouvaient occuper ces enfants dans leur famille et le

---

2. D'ailleurs, nous avons maintes fois observé que moins la situation d'un enfant placé en centre d'accueil était claire au départ, plus les intervenants de l'institution risquaient d'avoir à se confronter à un enfant qui, tôt ou tard, les forcerait à sortir de cette confusion. C'est généralement dans ce contexte de crise que les intervenants de l'institution requéraient nos services comme consultants.

rôle qu'ils pouvaient y jouer, les objectifs de ces placements étaient souvent redéfinis et leur durée parfois écourtée. Il nous est apparu de plus en plus évident qu'à partir du moment où ces éducateurs étaient en mesure de resituer ces enfants dans leur contexte familial et social respectif, leurs interventions devenaient souvent plus percutantes. Nous avons donc travaillé à identifier avec eux des points de repère pouvant les aider à formuler une hypothèse de départ. Ce texte constitue en quelque sorte le résultat de notre démarche collective.

Caractéristiques de l'hypothèse systémique

En premier lieu, nous allons commencer par donner une définition de l'hypothèse et plus spécifiquement de l'hypothèse systémique. Par la suite, nous parlerons des différents paramètres qui nous sont les plus utiles dans l'élaboration d'une hypothèse de départ.

Qu'est-ce qu'une hypothèse ?

Selon l'*Oxford Dictionary*, l'hypothèse est une supposition faite pour servir de base de raisonnement, *sans référence à sa vérité*. Selon le *Petit Robert*, l'hypothèse est une proposition relative à l'explication de certains phénomènes naturels, admise provisoirement avant d'être soumise au contrôle de l'expérience. Dans cette perspective, une hypothèse n'est ni vérité ni diagnostic mais « une manière de construire le réel » (Elkaïm, [4]).

Pour nous, travailler à partir d'une hypothèse c'est partir à la découverte d'un territoire inconnu avec l'aide de quelques indices de départ : le symptôme, la réaction de certaines personnes directement concernées par le problème, l'impression personnelle du référent, etc. C'est donc à partir de ces quelques indices que nous tentons dans un premier temps de délimiter un champ d'investigation qui nous semble en lien avec la problématique présentée. Notre hypothèse ne constitue nullement un diagnostic. Elle nous sert essentiellement à donner une direction aux premières questions que nous allons poser au moment d'une première rencontre ; c'est à partir des rétroactions ainsi obtenues que nous tenterons par la suite de nous rapprocher de la manière dont les différentes personnes impliquées construisent la réalité. Travailler à partir d'une hypothèse de départ, c'est donc enclencher un processus de recherche par essais et erreurs, les erreurs étant pertinentes parce qu'elles nous permettent d'affiner notre compréhension de la situation problème.

Utilités de l'hypothèse

La première utilité d'une hypothèse, c'est de permettre à l'intervenant de définir le champ de son investigation, quitte à modifier son choix en fonction des informations nouvelles qu'il recueillera au cours de l'intervention. Comme le dit si bien Jacques Pluymaekers [10], « l'hypothèse sert à réduire le champ des possibles pour faciliter l'action ». Par exemple, devant une famille qui consulte pour l'anorexie de la fille aînée, l'intervenant peut décider de commencer par investiguer la question de la différenciation, ou du contrôle, ou des frontières interpersonnelles, et de réaliser dès le premier entretien que la fille en question est devenue anorexique suite à un viol, ce qui l'amène à réorienter son questionnement pour investiguer entre autres choses la question du support affectif dans cette famille.

La seconde utilité d'une hypothèse, c'est d'aider l'intervenant à ne pas se mettre à la remorque des événements-crises, à ne pas se fixer sur le contenu parfois spectaculaire de ces événements mais plutôt sur le jeu interactionnel sous-jacent. Par exemple, dans un foyer de groupe pour enfants de 6 à 12 ans, des symptômes successifs apparaissent : une semaine un enfant fugue, c'est ensuite au tour de trois autres ; la semaine suivante, un garçon démolit l'auto du chef éducateur, pendant qu'un autre défonce la porte de sa chambre et la brise en mille morceaux, etc. Chaque événement peut être traité isolément. A brève échéance, le consultant risque de ne plus savoir où donner de la tête. A la limite, il peut devenir à son tour le patient désigné de l'équipe éducative. Par contre, s'il tente de sortir du contenu éminemment spectaculaire de ces événements et de se situer au niveau du jeu interactionnel sous-jacent, il se donne un peu de prise sur la situation et peut commencer à questionner l'équipe éducative sur les facteurs qui peuvent entretenir un pareil chaos, sur le manque d'organisation du groupe d'enfants, etc. Son hypothèse ne constitue pas nécessairement une explication mais lui sert à tout le moins de point d'ancrage dans le flot turbulent des événements.

Spécificité de l'hypothèse systémique

Il y a souvent confusion quand on parle d'hypothèse systémique. Certains pensent que l'hypothèse systémique est en rapport avec la stratégie d'intervention (hypothèse d'intervention), d'autres pensent que l'hypothèse concerne principalement la famille d'appartenance du patient identifié (hypothèse familialiste), d'autres enfin pensent que l'hypothèse doit expliquer le sens caché du symptôme (hypothèse linéaire). Théoriquement, l'hypothèse systémique a trait à la nature des interactions entre les individus et/ou sous-systèmes impliqués dans une même problématique. Elle s'intéresse plus spécifiquement aux règles qui régissent le jeu interactionnel et aux différents enjeux tant des individus que des sous-systèmes interpellés par la situation.

Processus d'élaboration d'une hypothèse de départ

Dessin de la carte des relations

La première tâche de l'opérateur systémique, c'est de tenter de délimiter le mieux possible les limites extérieures du système qu'il croit impliqué dans la problématique pour laquelle on le consulte. Pour éviter de tomber dans le piège d'une ponctuation trop souvent familialiste, il est utile de commencer par faire le dessin de la carte des relations en se posant les questions suivantes :

— Quels sont les différents sous-systèmes impliqués (famille, institution, groupe d'amis(es)) ?

— Quels sont leurs finalités respectives, leurs enjeux individuels, la place que chacun occupe ? (Il ne faut pas oublier d'inclure les personnes absentes et, parfois même, les personnes décédées parce qu'elles peuvent jouer un rôle déterminant sur le jeu interactionnel entre les différents membres d'un système.)

— Quel(s) lien(s) y a-t-il entre toutes ces personnes ?

— Quelle est la place du patient identifié dans tout ce mélimélo interactionnel ?

— Quel rôle veut-on faire jouer à l'intervenant ?

— Où se situe-t-il dans ce jeu interactionnel ?

A partir de ce dessin, l'intervenant doit, dans un deuxième temps, essayer d'identifier les relations qui lui semblent déterminantes en rapport au problème présenté. Par exemple, un enfant placé en famille d'accueil présente des problèmes depuis quelque temps : il vole, ne respecte plus l'horaire, se montre indifférent. Ce qui étonne ici, c'est que cet enfant semblait assez bien dans cette famille. Il avait même demandé la permission au père de la famille d'accueil de l'appeler « papa ». Que se passe-t-il ? Si l'on fait le dessin de la carte des relations (voir ci-dessous), on se rend compte qu'il y a d'un côté la famille d'accueil, les amis(es) que l'enfant s'est fait dans le quartier, son professeur qu'il aime bien, etc., et de l'autre côté, sa mère, la famille élargie de madame avec qui elle est en conflit, ses amis(es), son travail, etc. On apprend aussi que, depuis quelque temps, madame dit à son fils qu'elle pense le reprendre dans quelque temps. Par contre, aux intervenants sociaux elle dit ne pas se sentir prête à vivre à temps plein avec son fils. D'ailleurs, elle trouve qu'il a encore passablement de problèmes. Elle pense qu'un centre d'accueil serait tout indiqué pour lui ; elle pense aussi que la famille d'accueil ne semble pas l'aider beaucoup, d'autant plus qu'il continue à présenter les mêmes troubles de comportement qu'au début du placement.

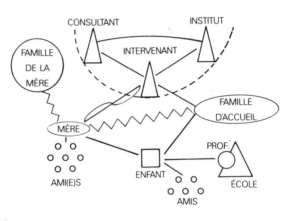

CARTE DES RELATIONS

Le dessin de la carte des relations nous montre un enfant apparemment pris dans un conflit de loyauté entre sa mère et sa famille d'accueil. De son côté, la mère semble coincée dans une double contrainte : à la fois accepter que quelqu'un d'autre s'occupe de son fils, mais d'un autre côté avoir peur que celui-ci s'attache à d'autres personnes qu'elle, risquant ainsi de le perdre affectivement. Ainsi, quand elle se rend compte que son fils commence à trop s'attacher aux personnes de son entourage, elle lui parle de la possibilité de le reprendre même si ce n'est pas là son intention. Ce dernier commence alors à désinvestir sa famille d'accueil. Il se prépare tout bonnement à partir. La famille d'accueil réagit à ce laisser-aller et resserre son contrôle. Une escalade symétrique s'installe entre eux et l'enfant. Les intervenants sociaux semblent eux aussi coincés : d'un côté, ils sont très contents du travail fait par la famille d'accueil jusqu'à maintenant mais, d'un autre, ils ne peuvent accepter qu'un enfant se détériore ainsi. Que faire ?

Selon notre expérience, dans la plupart des situations institutionnelles le dessin de la carte des relations nous aide énormément à identifier vers où convergent les interactions et quels sont les possibles enjeux en cause.

Le référent

On ne peut aborder la question de l'hypothèse en passant sous silence le rôle du référent dans le processus de demande d'aide. Une demande d'aide peut parfois être soufflée par un référent qui n'arrive plus à s'en sortir. (Selvini [12].)

L'exemple qui nous vient à l'esprit est celui d'un jeune garçon de 13 ans, placé en centre d'accueil depuis plus de trois ans et transféré par les intervenants de son unité de vie à un autre service institutionnel (foyer de groupe) pour que celui-ci assure la poursuite du placement. Cette demande est justifiée par le fait que le garçon en question est maintenant trop âgé pour pouvoir continuer à vivre au centre d'accueil. De plus, on ne le considère pas encore prêt à retourner vivre avec sa famille. Tous les rapports d'évaluation (psychologique, sociale, observation, etc.) vont d'ailleurs dans ce sens.

Dès le départ, les intervenants à qui l'on demande de prendre la relève, décident de refaire l'histoire de ce placement, de réunir l'ensemble des personnes concernées par cet enfant et de demander à chacun ce qu'il pense de la situation à ce moment précis. Il ressort de ces quelques rencontres que la poursuite de ce placement est en bonne partie liée au conflit qui s'est installé entre les différents intervenants impliqués jusque-là auprès de cet enfant et de ses parents. Mettre l'enfant dans un autre service institutionnel leur permettait d'une certaine façon de sortir de leur conflit, tout en définissant l'enfant non comme le sujet mais comme la cause du problème. Deux mois après l'arrivée de ce garçon dans cette nouvelle ressource institutionnelle, la famille décida de mettre un terme au placement.

En conséquence, les premières questions que nous devons nous poser au moment d'élaborer une hypothèse de départ sont les suivantes :

— Quelle est la position actuelle du référent quant au problème qui nous est présenté ?

— N'est-il pas impliqué à un tel point dans la problématique qu'il est lui-même devenu un élément de maintien du dysfonctionnement ?

— Le problème n'est-il pas avant tout celui du référent qui cherche à passer la main à quelqu'un d'autre ?

Les événements perturbateurs

Une constante demeure : la demande officielle est presque toujours organisée en fonction des symptômes présentés par un patient identifié. Quand les gens font une demande de service, celle-ci n'est pas toujours contiguë à l'apparition du symptôme pour lequel ils nous consultent. Parfois, sinon très souvent, cette demande naît ultérieurement des conflits qui surgissent entre les différents membres du système interactionnel concerné ou entre différents sous-systèmes en réaction aux conduites du patient identifié. De façon plus précise encore, l'idée de consulter surgit généralement suite à des événements précis, événements qui ont perturbé l'équilibre d'un ensemble relationnel. L'intérêt pour nous, c'est d'essayer d'aller au-delà du symptôme officiel qu'on nous présente pour tenter d'identifier les événements qui ont provoqué la demande d'aide. Questionner ces événements nous permet souvent de faire la lumière sur certains enjeux implicites directement reliés à cette demande.

Par exemple, des parents consultent un intervenant social parce que leur fils unique fait l'école buissonnière depuis quelque temps. En demandant à la famille quels événements récents les ont amenés à consulter, l'intervenant pourrait peut-être apprendre que cette décision a été prise suite à une querelle entre le père et la mère au sujet des absences répétées de ce dernier à l'école ; que monsieur se plaindrait de l'ingratitude et de la paresse de son fils et madame des exigences trop strictes et de la non-disponibilité de son mari à l'égard de ce fils qui a pourtant toujours fait du mieux qu'il pouvait ; que monsieur aurait accusé madame de prendre parti pour le fils, d'être sa complice ; que la mère est fatiguée de ces querelles, qu'elle se sent toujours coincée entre son mari et son fils, qu'elle a toujours joué un rôle régulateur entre eux, etc. Dans ce contexte, si l'intervenant social se centre trop rapidement sur le problème à résoudre, il risque de passer à côté de la demande implicite pour laquelle les parents consultent, à savoir : « Faites-en sorte que l'on n'ait plus à se disputer à propos de notre fils ». S'il ne prend pas le temps de bien entendre l'implicite de la demande, il risque de travailler avec des parents qui ne seront jamais contents des résultats de son intervention puisque le fils, même s'il retourne à l'école, pourrait éventuellement continuer à mettre ses parents en conflit.

Le symptôme

Les intervenants sociaux reçoivent généralement comme mandat d'éliminer les symptômes. D'ailleurs, la disparition du symptôme constitue souvent le premier critère de réussite d'une intervention thérapeutique. Il en va de même pour les techniques d'intervention comme telles ; plus une technique d'intervention permet d'éliminer rapidement le symptôme auquel on s'attaque, plus cette technique risque d'être populaire auprès des intervenants.

Nous sommes d'accord avec le fait qu'il faille viser une certaine rentabilité dans nos interventions tant pour les personnes qui nous consultent que pour les institutions qui nous engagent. Le danger, par contre, c'est de mettre toute l'emphase sur la disparition du symptôme et d'oublier que le symptôme est d'abord et avant tout une conduite adaptative dans le contexte où il apparaît. L'intervenant a donc tout avantage à prendre le temps d'essayer de trouver une utilité, un sens, une cohérence au symptôme, aussi bizarre qu'il puisse paraître.

Par exemple, une adolescente est amenée par sa mère à une clinique de pédiatrie pour adolescents parce qu'elle joue sans cesse avec ses cheveux et les arrache un à un. Certaines parties de son cuir chevelu sont complètement dénudées. L'intervenant qui a eu à rencontrer cette adolescente n'a pu s'empêcher de lui dire : « Quand quelqu'un s'arrache les cheveux, c'est généralement parce qu'il ne sait plus où donner de la tête. » C'est à partir de ce recadrage que l'intervenant a été en mesure de démarrer un premier entretien avec cette famille.

Autre exemple : un garçon en centre d'accueil fait une crise d'agressivité très spectaculaire la journée de la fête des mères. Il va même jusqu'à frapper son éducatrice accompagnatrice. Un travail à partir de la lecture de ce symptôme plutôt spectaculaire a permis à l'équipe éducative de réaliser, non sans difficultés, à quel point cet enfant était coincé entre son père et sa mère, combien il n'avait pas de prise tant sur ses sorties de fin de semaine que sur son avenir immédiat et comment les intervenants impliqués auprès de cet enfant étaient coincés légalement, ce qui les rendait impuissants à agir. La crise qu'il a faite cette journée-là a été comprise comme une tentative de changer les règles du jeu ; il en avait peut-être assez d'être ligoté par tous ces enjeux contraignants et contradictoires. En fait, le recadrage du symptôme dans ce cas-ci a permis aux éducateurs de sortir du contenu émotif de l'événement en question et les a aidés à se centrer sur l'information qu'il pouvait éventuellement contenir. D'ailleurs, à la fin de cette discussion, les éducateurs avaient plus envie de poser des questions que de donner des sanctions à ce garçon.

Phase d'organisation du système

Dans un article récent « Agrégat ou système : indice d'analyse » [9], nous avons parlé de l'importance de se questionner sur l'état d'organisation du système dans lequel le symptôme apparaissait. Sans en résumer le contenu, nous voudrions simplement donner un aperçu du lien que nous faisons entre symptôme et phase d'organisation du système.

Dans une institution, le fait que des enfants aient de la difficulté à s'organiser entre eux associé au fait qu'ils soient forcés de vivre ensemble peut favoriser l'apparition d'un certain nombre de symptômes liés à la définition du territoire. On pourra observer par exemple :

— la formation de petits clans en rivalité les uns avec les autres signalant éventuellement la difficulté entre eux de se trouver des similitudes ou d'élaborer un projet commun ;

— l'émergence d'un caïd qui tente d'imposer sa loi à l'ensemble du groupe, ce qui est souvent un indice que les liens entre les enfants du groupe sont plutôt faibles, permettant ainsi au caïd de prendre le contrôle des relations ;

— l'apparition d'un bouc émissaire ou d'un ennemi commun pouvant favoriser le rapprochement entre les enfants et éventuellement le début d'une organisation entre eux ;

— des fugues successives qui peuvent être comprises comme des indices que certains individus ont de la difficulté à se tailler une place dans le groupe ou tout simplement qu'ils ne veulent pas de la place qui leur a été faite ;

— du bris de matériel qui signale parfois certaines difficultés à créer un sentiment d'appartenance, etc.

Comme on peut le constater, la configuration d'un symptôme peut éventuellement servir d'indice et être extrêmement utile pour ceux et celles qui ont à travailler auprès de groupes dans la mesure où ils acceptent de les lier au processus d'organisation de ces groupes.

Amplification des mécanismes de régulation

Selon Luigi Onnis [7],

> « *le symptôme est en même temps et paradoxalement la manifestation d'une exigence de changement et un élément de la stabilisation d'un équilibre pathologique, à travers des mécanismes interactifs tout à fait circulaires de soutien réciproque* » (p. 39).

En d'autres mots, le symptôme est vu comme une demande de changement (rétroactions positives) qui a parfois pour effet d'amplifier ce que le patient désigné aurait souhaité changer. Cette idée est assez intéressante parce qu'elle nous met sur la piste des mécanismes régulateurs stimulés par la demande de changement. Autant on peut partir du symptôme ou des événements perturbateurs pour tenter d'identifier les enjeux en cause dans une situation donnée, autant on peut tenter de les identifier en observant l'amplification des mécanismes de régulation (rétroactions négatives) que cela provoque dans le système. Voici un exemple : une adolescente tente de négocier de nouvelles règles avec ses parents par rapport aux heures de rentrée le soir, en particulier les fins de semaine. La réponse des parents est négative. Ils justifient leur décision en disant qu'ils ne sont pas d'accord avec son choix d'ami(e)s. Une dispute s'ensuit. Les parents se montrent inflexibles ; l'adolescente les menace de sortir malgré tout ; les parents répondent à cette menace en défendant à l'adolescente de sortir le vendredi soir suivant. L'adolescente ne se présente pas pour souper le vendredi en question ; ce n'est que tard dans la soirée qu'elle rentre ; les parents sont furieux ; le père la menace ; elle se montre tout à fait indifférente ; il la frappe ; la mère s'interpose ; la fille se réfugie dans sa chambre en pleurant. Ce scénario se reproduira presque toutes les fins de semaine. La tension monte de plus en plus entre les parents et l'adolescente. On lui reproche aussi sa tenue vestimentaire. Madame aurait trouvé de la drogue dans la chambre de sa fille... vous pouvez vous imaginer la suite.

D'un côté, on voit une fille qui prend une certaine distance de sa famille et s'inscrit de plus en plus dans un réseau d'ami(e)s dont les règles sont en contradiction avec celles de sa famille. D'un autre côté, on voit des parents qui s'inquiètent, qui tentent de garder leur fille à la maison, qui aimeraient bien qu'elle se fasse des ami(e)s qui ont des règles de conduite plus près des leurs. Au lieu d'arriver à une renégociation des règles, on voit s'amplifier le contrôle et l'intransigeance des parents. Plus les mesures de contrôle augmentent, plus la fille prend des moyens extrêmes pour obtenir satisfaction à sa demande. Avec le temps, elle apparaît de plus en plus délinquante. Cet exemple, un peu caricatural, montre comment l'observation de l'amplification de la réponse des parents peut être une source d'informations extrêmement utiles dans l'élaboration d'une hypothèse de départ.

Par où commencer ?

Les six points que nous venons d'énumérer constituent en quelque sorte des portes d'entrée, des pistes de travail possibles, des accents à partir desquels l'intervenant peut s'interroger pour tenter d'élaborer une hypothèse de départ. Il n'y a pas de règles à suivre. Tout dépend en fait de la situation et de comment l'intervenant se sent interpellé par celle-ci.

Par exemple, quand on nous consulte pour les symptômes d'un enfant en centre d'accueil, dans une école, dans un groupe, nous commençons presque toujours par nous questionner sur l'état d'organisation du groupe dans lequel les symptômes apparaissent (point 5). Très souvent, cette seule question ouvre des alternatives intéressantes pour l'action. Parfois, c'est plutôt la configuration du symptôme qui nous accroche. Alors, nous tentons d'identifier quelle(s) utilité(s) concrète(s) il peut avoir, quelle(s) fonction(s) il remplit, quelle(s) information(s) il véhicule (voir exemples au point 4). Parfois, c'est l'allure suspecte du référent — sa trop grande gentillesse, son empressement à vouloir que nous intervenions, l'assurance avec laquelle il définit le problème — qui nous questionne le plus. Souvent, quand nous ne savons pas trop par où commencer, nous tentons d'identifier quels sont les événements précis qui ont conduit à la demande de service. Cette démarche est parfois fructueuse... parfois non. Alors on peut décider de faire le dessin de la carte des relations et de là tenter d'identifier vers où convergent les interactions.

Comme vous pouvez le constater, il n'y a pas de procédure standardisée pour élaborer une hypothèse de départ. Par contre, il y a de nombreuses pistes de travail qui servent à baliser notre questionnement.

Le mythe de « la » bonne hypothèse

Dès le départ, nous avons insisté pour dire que l'hypothèse est une supposition faite pour servir de base de raisonnement, sans référence à sa vérité. En d'autres termes, l'hypothèse ne constitue nullement une explication du problème pour lequel on nous consulte. Bien au contraire, l'hypothèse « sert essentiellement à réduire le champ des possibles pour faciliter notre action » (J. Pluymaekers [10]). Elle est une ponctuation, un découpage arbitraire de la réalité telle qu'elle se présente à nous et ce découpage est fonction de l'histoire de l'intervenant, de son mandat, de sa position dans l'organisation qui l'engage, de sa formation, de la manière dont le demandeur a organisé sa demande, etc. L'hypothèse initiale est donc tout à fait subjective. En fait, les quelques repères identifiés précédemment (dessin de la carte des relations, référent, événements perturbateurs, symptôme, état d'organisation du système-cible, mécanismes régulateurs) sont tout simplement là pour aider l'intervenant à organiser sa pensée[3].

L'intervenant/son institution

Parler de l'hypothèse sans parler de celui qui la fait, de la formation qu'il a reçue, de son milieu d'origine, de ses valeurs, de son rôle dans l'institution qui l'engage et du mandat que doit remplir cette institution, c'est passer par-dessus un thème capital mais souvent escamoté.

Selon Jacqueline Prud'homme [11],

> « *l'intervenant qui n'est pas conscient des motivations liées à son travail, transporte dans sa pratique le rôle joué dans sa famille d'origine. Il lui est très facile alors de prendre la position contre un membre d'une famille ou de s'allier subtilement à un autre et ce, simplement parce que la situation donnée offre des ressemblances étroites avec les situations vécues dans sa famille d'origine* ».

---

3. « Il est intéressant de souligner qu'une équipe qui adopte un modèle systémique basé sur une pensée circulaire, et qui partage le point de vue qu'il n'y a pas de certitude mais seulement des hypothèses, évite la rivalité entre ses membres et favorise la collaboration. Les idées deviennent plus importantes que les individus. » (Boscolo, [3] p. 52.)

Il en est de même avec les valeurs que l'intervenant a pu intégrer dans son milieu familial et social d'origine. De fait, certains intervenants provenant de milieux socio-économiques moyens ou favorisés et travaillant auprès d'une clientèle plus défavorisée vont parfois chercher à imposer de façon plus ou moins consciente leurs propres valeurs et balayer du revers de la main ce qui est singulier à ces sous-cultures.

Ce processus d'élaboration de l'hypothèse sera aussi teinté par la position de l'intervenant, son rôle, ses mandats et ceux de l'institution par qui il est engagé. Par exemple, la lecture que fait un intervenant d'un événement-crise risque d'être différente selon l'institution dans laquelle il travaille et le rôle spécifique qu'il a à jouer. Selon Jay Haley [6], si l'intervenant joue le rôle de thérapeute, son objectif sera éventuellement

> « *d'introduire une plus grande complexité dans la vie des personnes, au sens de briser des séquences répétitives de comportement et de susciter de nouvelles alternatives. Il ne désirera pas qu'un patient suive simplement des directives, mais s'attendra à ce qu'il prenne l'initiative de penser et d'agir d'une façon que le thérapeute lui-même pourra ne pas avoir envisagée. En ce sens, il encouragera l'imprévisible et sa tâche sera de favoriser le changement et un nouveau comportement, souvent imprévu. Par contre, si l'intervenant a à jouer le rôle d'agent de contrôle social il poursuivra l'objectif inverse. Il tendra à normaliser les personnes dans la communauté et à réduire l'imprévu. Il voudra que le perturbateur retrouve un comportement prévisible et habituel* » (p. 123).

Dans le premier cas, l'événement-crise sera parfois perçu comme nécessaire et souhaitable alors que, dans le second cas, ce même événement pourra signaler une dysfonction, une déviance par rapport à la norme.

Or, la marge de jeu d'une équipe de travail, quant à ses possibilités d'action, dépend non seulement du mandat qu'elle a à remplir mais aussi de la place qu'elle occupe dans le grand échiquier des services médicaux, sanitaires ou sociaux. En général, plus une équipe est reconnue et appréciée, plus elle est susceptible de bénéficier d'une importante marge de jeu. Il en est de même pour l'individu. Plus celui-ci occupe une place reconnue dans son équipe, plus il peut éventuellement jouir de latitude dans son travail. Inversement, moins une équipe ou l'un de ses membres disposent d'une place confortable dans ce jeu interactionnel, moins leur marge de manœuvre est grande et plus leurs incartades risquent de faire augmenter la pression qu'on exerce sur eux.

Somme toute, il est peu probable que des intervenants différents confrontés à une même situation optent pour une hypothèse identique. Chaque intervenant va teinter son hypothèse de sa réalité personnelle et du mandat qu'il a à assumer. Dans ce sens, il est extrêmement important que les intervenants questionnent la nature et l'ampleur de leur(s) mandat(s) et soient en mesure d'évaluer comment ces mandats teintent leurs perceptions et leurs actions. Cela peut éventuellement leur permettre de relativiser leur point de vue et peut-être de comprendre mieux celui des autres.

Processus d'intervention

Même si d'un point de vue philosophique on est d'accord pour dire que la plupart des hypothèses initiales se valent et qu'à la limite on peut voir à peu près tout ce que l'on veut dans une situation donnée, cela ne veut pas dire que toutes les interventions se valent pour autant. Pour que notre intervention soit utile pour les personnes qui nous consultent (parce que c'est cela la finalité ultime), il faut, à notre avis, que l'information que l'on tente de faire circuler soit assez proche de la manière dont ces personnes construisent leur réalité. En même temps, elle doit aussi être assez différente pour constituer en soi une information nouvelle pour ces derniers... Nouvelle mais pas étrangère.

> « *Ce qui va faire alors que quelque chose prendra ou ne prendra pas, c'est la congruence de ces assemblages. Autant les gens devront progressivement ajuster leur perception de la réalité en fonction des nouvelles informations qui vont circuler entre eux, autant l'intervenant devra sans cesse modifier et ajuster son hypothèse de départ pour y inclure leurs singularités. Les gens doivent se reconnaître dans ce que nous allons leur proposer et dans ce sens nous devons rassembler le maximum de détails possibles, très proches de leur expérience quotidienne, et cependant, une fois la construction faite, les conséquences de ce que nous disons sont complètement surprenantes pour eux les forçant ainsi à revoir la conception qu'ils se faisaient de leur problématique au départ.* » (Elkaïm [5].)

D'une certaine manière, on pourrait comparer l'intervention à la rencontre de deux danseurs qui doivent apprendre à danser ensemble malgré le fait qu'ils aient un jeu de pied différent et singulier. Au départ, chacun risque de marcher sur les pieds de l'autre. Par contre, avec le temps ils peuvent éventuellement apprendre à s'ajuster l'un à l'autre tout en restant singuliers. Certains couples de danseurs arrivent ainsi à inventer de nouveaux pas de danse. Malheureusement, il arrive souvent aussi qu'un des deux partenaires tente d'imposer son jeu de pied, annulant ainsi l'apport de l'autre. Dans ce contexte, l'autre peut momentanément accepter de se soumettre à ce jeu de pied mais il y a bien des chances qu'à la prochaine occasion il décline l'invitation.

RÉFÉRENCES BIBLIOGRAPHIQUES

[1] Ausloos G., « Symptôme, système et psychopathologie » *Systèmes humains*, 2 (1), 1986, p. 97-104.

[2] Bateson G., *Vers une écologie de l'esprit*, Paris, Le Seuil, 1977, vol. 1, p. 12.

[3] Boscolo L., in Elkaïm M. (sous la direction de), *Formations et pratiques en thérapie familiale*, Paris, ESF, 1985, p. 52.

[4] Elkaïm M., *Formations et pratiques en thérapie familiale*, Paris, ESF, 1985.

[5] Elkaïm M., *Les pratiques de réseau*, Paris, ESF, 1987.

[6] Haley J., « Thérapie et contrôle social », *Thérapie familiale*, 3 (2), 1982, p. 115-132.

[7] Onnis L., « La thérapie familiale dans les institutions et dans les services territoriaux : utilités et limites », *Cahiers critiques de thérapie familiale et de pratiques de réseaux*, 1988, p. 39 à 49.

[8] Onnis L., « Le système-demande : la formation de la demande d'aide selon une perspective systémique », *Thérapie familiale*, 5 (4), 1984, p. 341-348.

[9] Pauzé R., Roy L., « Agrégat ou système : indices d'analyse », *Traces de Faire* (revue de pratique de l'institutionnel), 4, 1987.

[10] Pluymaekers J., conférence donnée au colloque « Demandes, mandats, hypothèses », Montréal, 1987.

[11] Prud'homme J., « Contenu d'un atelier présenté au colloque « Les modalités d'intervention en approche systémique », Montréal, 1983.

[12] Selvini Palazzoli M., et al. « Le problème du référent en thérapie familiale », *Thérapie familiale*, 5 (2), p. 89-100.

Quatrième partie

APPROCHE SYSTÉMIQUE
ET CONSULTANT
AUPRÈS D'INSTITUTIONS

13

COMMENT SE MAINTIENNENT DES SYMPTÔMES ?

Carlos SLUZKI

Introduction

Un des grands objectifs des programmes de santé mentale est la restitution de l'autonomie et de la responsabilité du patient à un niveau optimal de fonctionnement, en tenant compte surtout de ses possibilités ainsi que de ses limites. Ceci a le mérite important d'aller à l'encontre du « principe de Peter » bien connu qui dit que chaque personne réalise ou est encouragée à atteindre à son propre niveau d'incompétence. Un équilibre sain entre limites et possibilités est nécessaire pour réaliser des résultats optimaux. Si un thérapeute s'investit trop dans la réussite, il risque de pousser le patient au-delà de la limite du seuil optimal et favorise donc une rechute ou une crise (pas très différente de l'effet négatif des « Émotions Exprimées » [1], [2], [3]). Par contre, si ce même thérapeute est trop conservateur, il peut ne pas stimuler assez le patient et ainsi favoriser la chronification (le thérapeute devient une institution protectrice supplémentaire). Si, pour un même patient, ces deux principes se concurrencent à des niveaux logiques différents — par exemple : « Obéis-moi », dans un contexte qui récompense l'incompétence —, une crise symptomatique majeure peut s'ensuivre puisque la situation rassemble les ingrédients de base du *double bind* [4], [5]). Mais si la structure est telle que ces principes se concurrencent tout simplement — si, par exemple, un service intervient avec des objectifs extrêmement élevés et un autre avec des objectifs extrêmement bas auprès d'un même patient, ou si la famille met en valeur une conception (par exemple, récompenser l'autonomie) tandis qu'un service en utilise une autre (par exemple, récompenser la conformité) — ce que nous pouvons observer, c'est l'analogie entre les mouvements de fluctuation entre les seuils de fonctionnement maximal et minimal du patient et ceux entre l'optimisme et le pessimisme des services et/ou de la famille.

Voici le compte rendu d'un travail que j'ai mené, comme consultant, auprès d'une équipe d'un centre de santé mentale — pour patients psychiatriques chroniques — inséré dans une communauté locale. Il révèle un schéma de fluctuation fascinant dans le maintien d'un problème entre un patient (défini comme « patient-problème ») et le personnel de l'institution, schéma qui s'inscrit dans l'espace situé entre les deux seuils mentionnés ci-dessus : attentes insuffisantes et espoirs excessifs.

L'institution

Zenith, service de réinsertion de patients psychiatriques chroniques dans le tissu social, soutient, d'une part, les patients qui sortent des hôpitaux psychiatriques de l'État (parfois après cinquante ans d'hospitalisation) et qui, de ce fait, rejettent les services psychiatriques traditionnels, et, d'autre part, les patients qui risquent la réhospitalisation. Les services de Zenith comprennent : *a)* un programme *résidentiel* pour une trentaine de clients répartis en dix appartements supervisés ; *b)* des programmes de *centre de jour/revalidation* proposés à la fois aux clients du programme résidentiel et à d'autres ; *c)* un service de *suivi extérieur* discret.

Le travail de consultant

Habituellement, je suis consultant de l'équipe externe de Zenith ; mais, à cette occasion, on m'avait demandé de l'être pour les deux autres équipes — centre de jour et résidentiel — qui avaient des difficultés à propos d'un patient dont elles s'occupaient toutes deux. Douze travailleurs de santé mentale ont participé à cette réunion. Ils étaient très impliqués dans la situation et avaient un minimum de formation. C'était pour eux la première expérience de formation avec un consultant.

Le patient-problème, âgé de 60 ans, vif et intelligent, gravement diabétique, homosexuel, diagnostiqué comme « schizophrène chronique en rémission » était décrit comme leur patient le plus prometteur et le plus décevant. En effet, il oscille entre l'amabilité ou la provocation avec le personnel. Il charme ou attaque celui-ci avec des comportements pseudo-séducteurs ou des accusations de liaisons homo- ou hétérosexuelles avec les autres patients. Il est au courant de son diabète mais s'écarte de temps en temps de son régime. Son taux de glycémie fluctue alors dangereusement avec les caprices de ses extravagances diététiques. Afin d'obtenir la nourriture qu'il convoite, il vole, cajole ou se faufile dans la cuisine de l'établissement en enfreignant tous les règlements internes. En dépit de tout cela, le patient est aimé par le personnel à cause de son humour, sa sociabilité, sa conscience de la vie communautaire et des ressources de celle-ci. Tous expriment une très grande frustration quant à ses cycles allant de l'autonomie croissante à la provocation irresponsable. Le personnel du programme résidentiel s'est plaint de ce que ce client ne vit pas à la mesure de ses possibilités. Il a exprimé son espoir qu'il puisse évoluer vers un mode de vie plus autonome, tel qu'un appartement coopératif semi-autonome. Le personnel du centre de jour a été plus conservateur dans son évaluation : ce patient n'est-il pas arrivé à un seuil de compétence limitée et pourra-t-il vraiment réussir à vivre de manière autonome ? J'ai encouragé le groupe à discuter du problème plus en détail et les opinions se sont montrées divisées aussi bien à l'intérieur des différentes équipes qu'entre elles. Au cours de la discussion, il devient drôlement évident que le patient a l'habitude et le talent d'opposer les membres du personnel au moyen de ragots les concernant. Ce patient qui, pour toute famille, a un frère avec lequel il a rompu, a été hospitalisé pendant vingt-cinq ans dans une institution psychiatrique d'État ; ensuite il a été envoyé pendant deux ans dans un centre de revalidation où son comportement s'est détérioré, a été réhospitalisé, puis envoyé à nouveau dans un autre centre de revalidation où il a de nouveau rechuté. Après une nouvelle hospitalisation, il a été transféré au programme résidentiel de Zenith où, depuis trois ans, il se porte mieux. J'ai cherché à savoir si la durée de séjour des patients était limitée et l'on m'a dit que les résidents pouvaient y rester toute leur vie s'ils n'arrivaient pas à mener une vie autonome. En fait, le personnel du service travaille en présupposant que la majorité de leurs clients ne pourront jamais progresser. Et, en même temps, le progrès des clients est considéré, dans ce service, comme le plus grand indice de succès.

Formulation du problème

Au vu de tous ces éléments, le problème de base qui a amené les équipes à consulter est devenu clair : le personnel du service résidentiel espérait que ce patient progresse vers un programme plus indépendant. Le fait que le patient ne progresse pas est perçu par le personnel du service résidentiel comme un échec, ce qui déclenche une frustration collective. Par ailleurs, le circuit effectué par ce patient depuis sa sortie du premier hôpital psychiatrique semble indiquer qu'il s'était bien adapté à l'environnement de cette institution, n'a pu s'accommoder à celui des centres de revalidation, mais s'est bien adapté au programme résidentiel de Zenith. De son côté, le personnel du service résidentiel, au vu de la performance satisfaisante du patient, lui fait comprendre — en manière de récompense logique — qu'il s'apprête à progresser, honneur douteux qui ne fait qu'accentuer pour le patient les inconvénients liés à de nouveaux progrès. Donc, afin d'être sûr de ne pas progresser, il doit trouver le moyen de déjouer ses propres progrès. Ce comportement inadapté (« correctif » aux yeux du patient) déclenche à son tour irritation et désintéressement de la part du personnel, lequel stimule le patient afin d'améliorer son comportement, etc. Cette danse complémentaire de fluctuations est perçue par le personnel du service résidentiel comme étant engendrée par le patient. Leur propre comportement leur apparaît comme étant réactionnel et adéquat (c'est exact du point de vue du soignant) sans s'apercevoir que, du point de vue d'un observateur extérieur, les deux parties participent à un « jeu sans fin », c'est-à-dire à un schéma dans lequel les solutions tentées deviennent une partie du problème qu'elles essayent de résoudre [6]. L'équipe du centre de jour, de son côté, n'entend que la version du patient et finit par s'allier à lui pour critiquer le personnel du service résidentiel sur sa façon de faire grand cas de peu de choses, alors que le personnel du service résidentiel voit la politique de l'exigence minimale de l'équipe du centre de jour comme un manque de collaboration. Cela étant accentué par l'habileté du patient à alimenter les confrontations, tout autant que par l'absence d'une formule appropriée de rétroactions institutionnelles, telle une réunion régulière du personnel des deux programmes où des malentendus peuvent être clarifiés et des plans d'action conjoints développés.

L'intervention

Au cours de cette discussion avec le consultant, une stratégie d'intervention a été développée conjointement. Elle avait pour but d'informer le patient qu'à la suite de réunions, discussions et évaluations, on était arrivé à la conclusion qu'il ne pourrait pas progresser au point d'aller dans une structure intermédiaire mais devrait s'adapter pour de bon à vivre au service résidentiel. Cependant, même si on estimait que cette solution serait la plus profitable pour le patient, le personnel communiquerait cette nouvelle *comme si* elle devait le décevoir.

La raison de cette recommandation est qu'en agissant ainsi le personnel évitera de sentir qu'il cède à la pression ou aux ruses du patient — et par là de lui en vouloir — mais qu'il gardera la marge de manœuvre suffisante dont cette équipe avoue avoir besoin (un trait peu rare chez les thérapeutes et conseillers, surtout si leur autorité n'émane pas d'un diplôme officiel).

Pour ce patient, cette orientation vers un but thérapeutique « conservateur » pourrait maximaliser à long terme ses chances d'évoluer progressivement vers un mode de vie autonome. Cependant, il faut souligner que cette proposition n'a pas été faite comme une « intervention paradoxale », c'est-à-dire comme une démarche qui a pour but de produire l'effet contraire à celui présenté. En fait, la possibilité qu'il atteigne l'autonomie dépend de ce que le personnel lui-même croie qu'un tel aboutissement est invraisemblable, que cela ne peut être prescrit, mais qu'au contraire il ne peut survenir que de façon spontanée. Par conséquent, cette approche ne peut être cataloguée comme paradoxale *que si* l'on ne recherche pas une nouvelle amélioration du patient, c'est-à-dire que si cette position conservatrice est adoptée à cause de ses qualités intrinsèques et non pas en vue d'un avenir plus rose. (Comme admis plus haut, on obtient un paradoxe en soi car, une fois qu'on le reconnaît, il devient absurde de ne pas l'admettre.) Il faudrait noter que si le patient ne s'améliore pas au-delà de son niveau actuel d'autonomie, cette situation ne frustrera pas le personnel et donc ne favorisera pas les comportements antipathiques de leur part qui pourraient avoir contribué au maintien de l'itinéraire cyclique de ce patient. Patient et personnel seraient plus satisfaits et le cycle serait brisé. Si le patient devait augmenter ses progrès vers l'autonomie, cette orientation s'avérerait comme un bon point de départ pour son évolution ; de nouveau, tout le monde serait satisfait (il va sans dire que si l'état du patient se détériore, ce qui est en fait une troisième possibilité, la stratégie thérapeutique globale devrait être révisée).

Comme des tâches stables sont des moyens extrêmement efficaces pour marquer l'appartenance à un groupe, j'ai recommandé au personnel du service résidentiel de chercher quelle sorte de routine ménagère pourrait être assignée à ce patient, une tâche qui aurait pour but de lui faire comprendre — et de rappeler à l'ensemble des résidents, patients et personnel y compris — que le service résidentiel est sa « maison » et qu'il est un membre stable de la « famille ». Le personnel du service résidentiel s'est mis d'accord pour lui donner la responsabilité de l'inventaire hebdomadaire des approvisionnements, activité qui était attribuée jusqu'alors à un membre du personnel. L'équipe du centre de jour, de son côté, a décidé de ne rien changer, ce qui semblait raisonnable vu qu'aucun schéma de maintien de symptôme n'avait été détecté à leur niveau.

En fin de compte, les deux équipes s'étant « redécouvertes » l'une l'autre, se sont mises d'accord pour demander au directeur de Zenith d'instaurer une réunion mensuelle de tout le personnel de l'organisation afin de discuter des cas difficiles et d'améliorer les moyens de communication.

Évaluation du travail de consultant

Une évaluation de ce travail donne les observations suivantes :

1. Le procédé consultatif a permis à tous les participants d'avoir un rôle actif et a donc augmenté leur confiance personnelle et professionnelle.

2. Personne n'a été blâmé — ni le patient, ni le personnel — pour la difficulté de la situation, étant donné que les participants ont pu développer une compréhension systémique de ce dilemme collectif dont la difficulté faisait partie. Cela leur a permis de trouver de nouvelles solutions au problème.

3. Le personnel a pu développer avec le consultant des stratégies créatives non pas uniquement centrées sur le patient mais sur le patient et les membres du personnel, ce qui leur a permis de participer eux-mêmes au processus de changement. Ces stratégies ont entraîné une modification des données antérieures, ce qui indique que le travail du consultant a lancé avec succès un défi à l'épistémologie du groupe dans le sens d'une augmentation de ses options.

4. Les changements proposés comprennent des mesures préventives qui ont pour but de réduire la probabilité de la répétition de ce type de problème, en l'occurrence la demande de réunions périodiques du personnel des différents programmes.

5. Enfin, mais ce n'est pas le moindre, toutes les parties concernées ont vécu la réunion comme quelque chose de créatif et d'amusant.

Suivi

Huit mois plus tard, une étude du suivi nous permet d'évaluer ce travail de consultant comme étant une réussite au niveau de l'orientation et de la stabilité des changements tant chez le patient que le personnel. Le patient était plus sociable et collaborant avec le personnel. Le personnel, de son côté, a changé d'attitude envers le patient : il éprouve de la compréhension et se conduit comme tel plutôt que de subir ses provocations. Tout le climat autour du patient s'est amélioré pour le mieux.

Discussion

La nature fluctuante des performances réalisées par le patient a été définie comme le centre d'intérêt clinique du travail de consultant. Cependant, j'ai étudié ce comportement problématique d'un point de vue systémique en élargissant le champ d'observation jusqu'à englober le réseau dont faisait partie le patient, en présumant qu'une telle exploration révèlerait le schéma interpersonnel dont son comportement problématique faisait partie. Il est important de noter que cette énonciation ne contient pas une implication causale : il n'est pas dit que le symptôme est *produit* par le tissu interpersonnel, mais qu'il est *entretenu* par celui-ci et contribue à son tour à l'élargissement du schéma de maintien. Cette logique ressemble à celle appliquée au traitement des familles avec un membre symptomatique, car dans chaque cas on cherche à discerner et à perturber ces schémas interpersonnels du maintien de symptôme. Il est intéressant de remarquer que les comportements individuels de ceux qui contribuent au cycle sont perçus par chaque participant (non symptomatique) comme la réponse la meilleure, la plus logique et la plus raisonnable à tout ce qui se passe. Cette appréciation est, du point de vue de chaque individu, vraisemblablement juste, malgré le fait que, d'un point de vue systémique, ces comportements *constituent* le problème.

Le corollaire clinique de ce travail de consultant s'applique non seulement au traitement de patients psychiatriques chroniques mais aussi à la pratique clinique de la psychothérapie en général : il serait recommandable que les cliniciens et les institutions soient attentifs à ces cycles d'amélioration et de détérioration et opèrent avec la présomption qu'une rechute ou une détérioration peut révéler une non-concordance entre les objectifs des sous-systèmes dont le patient fait partie. Effectivement, les programmes de traitement individuels devraient prendre en considération ces fluctuations des performances réalisées par le patient aussi bien que les oscillations du personnel entre optimisme et pessimisme ou entre espoir et ressentiment. Mais la détection d'un tel schéma peut indiquer un besoin de réexaminer aussi les contradictions potentielles à l'intérieur de toute la niche institutionnelle dont fait partie le patient.

Le résultat générique le plus désirable dans ce genre de situation, à savoir une vie tout à fait autonome, socialement adaptée et émotionnellement satisfaisante (quelle que soit la définition de la « santé » choisie), loin d'être un but toujours réalisable, peut, s'il n'est pas remis en question, être le support idéologique d'un long schéma de rémission et de détérioration qui pourra contribuer involontairement à la « carrière » d'un patient psychiatrique chronique.

RÉFÉRENCES BIBLIOGRAPHIQUES

[1] ANDERSON C.M., HOGARTY G.E., REISS D.J., « Family treatment of adult schizophrenic patients : a psycho-educational approach », *Schizophrenia Bulletin*, 6, 1980, p. 490-505.

[2] ANDERSON C.M., HOGARTY G.E., REISS D.J., *Family approaches to schizophrenia*, New York, Guilford Press, 1986.

[3] BROWN G.W., BIRLEY J.L.T., WING J.K., « Influence of family life on the course of schizophrenic disorders : a replication », *British Journal of Psychiatry*, 121, 1972, p. 241-258.

[4] BATESON G., JACKSON D.D., HALEY J., WEAKLAND J.H, « Toward a theory of schizophrenia », *Behavioral Sciences*, 1956, p. 251-264.

[5] SLUZKI C.E., RANSOM D.R., *Double bind : The foundation of the communicational approach to the family*, New York, Grune & Stratton, 1976.

[6] WATZLAWICK P., FISCH R., WEAKLAND J.H., *Change : principles of problem formation and problem resolution*, New York, W.W. Norton, 1974. Trad. fr., *Langages du changement*, Paris, Le Seuil, 1980.

[7] SLUZKI C.E., « Process of symptom production and patterns of symptom maintenance », *Journal of Marriage and Family Therapy*, 7 (3), 1981, p. 273-280.

14

VOULEZ-VOUS DANSER
AVEC « MOÂ » ?

Jacques PIGUET et Colette SIMONET

Notre réflexion a pour cadre l'institution en tant qu'organisation vivante, animée par les membres de l'équipe qui la composent, les usagers, leurs familles et d'autres acteurs. L'enfant placé étant posé comme prétexte aux interactions de l'ensemble.

Notre propos — pour l'essentiel — concerne la manière dont l'équipe et l'enfant (la famille) vont construire ensemble une danse où se mêlent des éléments de l'histoire de chacun, de l'histoire de l'équipe et de l'institution ; danse subtile qui échappe la plupart du temps au regard. Par conséquent, il est nécessaire de comprendre à l'occasion des faux pas, des temps morts et des temps forts de la danse comment ces éléments entrent en résonance les uns avec les autres (et peuvent s'amalgamer soudain en des scénarios d'impasse relationnelle) afin que chaque individu puisse se réapproprier son histoire tout en reprenant place dans la chorégraphie institutionnelle.

Ce type de travail nous révèle que *le temps* est le protagoniste principal autour duquel s'organise notre démarche. A savoir :

— *le temps qu'il faut* pour qu'une équipe puisse s'intéresser à son propre fonctionnement et rester dans *une relation ouverte* avec elle-même, les usagers, leurs familles et bien entendu les différents contextes (scolaire, social, politique...) dans lesquels l'institution s'inscrit ;

— *le temps qu'il faut* pour pouvoir accepter, reconnaître que des éléments de l'histoire personnelle et familiale de chacun des membres de l'équipe peuvent se mettre en résonance avec des éléments appartenant à l'histoire actuelle de l'équipe et avec des éléments appartenant à l'histoire personnelle et familiale de tel enfant ; et que ces différents « ingrédients » peuvent *prendre ensemble* et constituer — par un phénomène de résonance — un assemblage parfaitement dysfonctionnel à un moment donné de l'histoire de l'institution.

Faire l'économie de la prise en compte de ces phénomènes peut conduire à un mode de fonctionnement figé. En revanche, les élaborer permet une compréhension nouvelle, à partir de laquelle émergent d'autres hypothèses de travail : le jeu réouvert des interactions relance alors le processus de changement.

« Horizon » est un externat pédago-thérapeutique créé il y a douze ans à Genève et pouvant accueillir une quinzaine d'enfants de 3 à 10 ans qui souffrent de troubles importants de la personnalité et ne peuvent s'intégrer dans un jardin d'enfants ou une école publique. C'est un lieu de vie, d'expérience et de croissance tant pout les adultes que pour les enfants placés. Chacun est considéré d'abord comme une personne et non comme un adulte soignant ou un enfant à soigner.

L'équipe pluridisciplinaire est composée de dix personnes qui, tout en gardant leur spécificité professionnelle, s'impliquent dans et participent à l'ensemble de la vie institutionnelle jusque dans ses aspects les plus pratiques (repas, ménage, lessive, etc.) et s'engagent à privilégier le projet global et la cohérence des interventions plutôt que des finalités individuelles, voire des ambitions personnelles.

Toutes les familles sont reçues par des membres de l'équipe formés à la thérapie familiale.

Il y a six mois, Jacques Piguet, le directeur du Centre, a demandé à Colette Simonet de collaborer* à la réflexion qu'il mène avec son équipe sur le questionnement et l'affinage constants des interactions entre les différents partenaires de l'institution.

Le plaisir et l'intérêt de Colette Simonet pour son travail avec l'équipe d'« Horizon », tout comme l'espoir retrouvé d'une possible pratique véritablement systémique dans un cadre institutionnel, ont motivé la prise de parole des deux auteurs à travers ce texte.

« Horizon » est donc une institution semi-privée qui se réfère à différents modèles thérapeutiques pour sa réflexion sur le fonctionnement de ses membres (enfants et adultes compris).

Elle cherche continuellement des réponses nouvelles aux impasses interactionnelles dans lesquelles se mettent et sont mis les enfants et leur environnement tant familial qu'institutionnel.

L'accent que nous souhaitons poser ici est de l'ordre du truisme : à savoir la *nécessité* pour que dans l'institution les interactions demeu-

---

* A titre d'intervenant extérieur.

rent vivantes, que *l'équipe dans son ensemble et chacun de ses membres* en particulier *puisse questionner son propre fonctionnement à tout moment* tant dans ce qui va bien que dans ce qui fait problème.

Que les interactions restent vivantes, nous apparaît comme une condition *sine qua non* pour lutter contre la tendance incessante à réduire les échanges à un formalisme stérile et poli, dans le meilleur des cas.

Par *interaction vivante* au niveau d'une équipe, nous entendons la capacité d'utiliser tout ce qui se présente dans la relation, les accrocs, les plaisirs, les souffrances, etc., comme éléments-repères de la qualité de la communication dans le groupe institutionnel à un moment donné.

Les réajustements qui peuvent en découler permettent aux enfants, à leurs familles et à l'équipe, de vivre des échanges nouveaux qui réouvrent des espaces de vie intoxiqués auparavant.

Toute la question va être : comment arriver à cette qualité-là de travail ? Tant il est vrai qu'il ne suffit pas de nommer, dans des réunions, les difficultés pour que celles-ci se transforment.

Comment peut-on créer entre les membres d'une équipe, *un tissu relationnel suffisamment consistant* pour permettre une remise en question individuelle et/ou de groupe quand rien ne va plus, quand des projets d'éjection d'un élément du groupe (enfant ou adulte) commencent à germer, quand l'équipe ne veut plus se séparer d'un enfant, etc., et *comment rester sensible aux différentes pressions* auxquelles l'équipe est soumise et notamment celles que nous appellerons *inductions* de la part des enfants ?

Chaque enfant (individu) tend en effet à recréer dans le milieu où il se trouve ce qu'il connaît le mieux, à savoir le type d'interactions dont il a l'habitude, qu'il a développées dans son contexte familial et social, et avec lequel il va tenter de modifier le jeu institutionnel.

Face à cela, les équipes peuvent donner plusieurs réponses, par exemple :

— rigidifier l'attitude de l'équipe pour la rendre moins vulnérable aux impacts relationnels (en se réfugiant par exemple derrière des techniques, des savoirs, des règles de fonctionnement contraignantes, etc.) ;

— augmenter « la dose thérapeutique » administrée à l'enfant ;

— voir dans quelle mesure on peut mettre en évidence des *phénomènes de résonance* au niveau de l'équipe, au niveau des enfants et de leurs familles en tenant compte du moment de l'histoire institutionnelle.

C'est vers ce dernier type de réponse que l'équipe d'« Horizon » tend. Mais il apparaît clairement que cette manière de travailler exige de chacun qu'il accepte de s'engager personnellement et de faire référence à son propre processus de vie.

Pour Jacques, créer un espace de confiance qui favorise cette qualité d'implication, constitue l'une de ses principales préoccupations depuis la création d'« Horizon » et l'un des points d'ancrage de son travail avec un groupe d'enfants-adultes.

Il s'y emploie au travers d'une organisation complexe basée sur :

— la rencontre avec l'enfant et son milieu ;

— des discussions informelles entre adultes ;

— le décloisonnement des différentes fonctions tout en gardant le sens de la spécificité et des compétences professionnelles propres à chacun ;

— un travail en profondeur sur l'équipe (et en équipe) concernant les limites personnelles, les règles de l'institution, les croyances de chacun, la définition des termes utilisés pour se parler, la relation au corps propre et au corps de l'autre ;

— des réunions de réflexion et de synthèse où chacun amène son vécu, ses observations, ses interrogations ;

— l'intervention d'un tiers (actuellement Colette Simonet) qui ne participe pas au déroulement quotidien de la vie dans l'institution mais contribue par ses questions au maintien de la relation vivante dont nous avons parlé.

L'histoire de Marc

Marc est, dans sa famille, l'enfant du milieu. Il a été adopté par un couple d'enseignants.

Intégré en mars 1985 à « Horizon », c'est un enfant qui présente de grosses difficultés à se concentrer, s'isole et bégaie.

Il est rapidement « adopté » par l'équipe et fortement investi.

Son évolution au cours de la première année est telle qu'« Horizon » envisage, en accord avec les parents, de tenter, dès l'automne 1986, une intégration scolaire progressive dans une classe normale.

Un essai d'un jour par semaine est organisé dans une classe de l'école du quartier.

Dès ce moment, les parents activent le processus de sortie, rencontrent l'institutrice et demandent rapidement à augmenter le temps que l'enfant passe en classe (hors de l'institution).

Cette responsabilisation des parents par rapport à l'avenir de leur enfant est vécue par l'équipe comme une précipitation irresponsable risquant de surcroît de mettre en échec son projet de réintégration progressive de l'enfant dans le milieu scolaire.

Nous constatons à ce stade que plus l'équipe pense que ça va trop vite et freine, plus les parents s'activent.

Pendant cette période, au Centre, Marc se montre agité et agressif, ce qui vient « confirmer » aux yeux de l'équipe que les parents en font trop et sont inadéquats. Ceux-ci estiment que la situation actuelle est trop fatigante pour leur fils et demandent qu'il soit libéré de ses activités au Centre le jeudi matin comme c'est le cas dans les écoles publiques.

Dès ce moment, un enchaînement d'informations contradictoires se produit : la mère qui demande congé pour son enfant se voit répondre consécutivement par deux membres de l'équipe que Marc *doit venir* à « Horizon » le jeudi matin car, ce jour-là, les activités proposées sont particulièrement importantes (en réalité, les ateliers mentionnés ont lieu depuis des mois, les lundis et mercredis matin).

Pour régler cette question, l'équipe convoque les parents dans le même lieu et cadre que celui dans lequel s'est déroulée la thérapie familiale (pourtant terminée depuis plusieurs mois) et avec — comme interlocuteurs — les thérapeutes !

Une rencontre, dans ces conditions, ne pouvait que confirmer l'impasse : les thérapeutes, porteurs de la tension de l'équipe, reproduisent l'escalade symétrique « institution-parents », avec le départ de Marc comme enjeu.

La prise de conscience de ses contradictions et l'exacerbation de la symétrie avec les parents ébranlent fortement l'équipe qui, inquiète de son propre fonctionnement, soumet en synthèse la situation à Colette.

La discussion fait apparaître les éléments suivants :

— Des arguments avancés en toute bonne foi sont, en réalité, basés sur des données parfaitement inexactes.

— La verbalisation à l'enfant de son ambivalence entre le désir d'aller à l'école normale et la difficulté à quitter « Horizon » ainsi que du sentiment que « tout va trop vite » et que « dans ces conditions il est bien difficile de s'y retrouver »...

163

A ce propos, Colette amène l'équipe à s'interroger sur « qu'est-ce qui va trop vite et qui est difficile en ce moment pour l'équipe ? », sachant que des changements importants vont avoir lieu d'ici un an environ pour l'institution, Jacques ayant décidé de quitter son poste de directeur.

La future directrice (qui entre progressivement en fonction) évoque alors les tensions qui existent actuellement entre elle et le directeur, son désir à elle de lui laisser finir tranquillement son mandat mais l'envie de prendre sa place tout de suite, son inconfort à être « entre deux chaises » et sa propre difficulté à s'y retrouver en termes de qui fait quoi pendant cette période de transition.

— A la même époque (janvier) de l'année précédente, de nombreux changements dans l'équipe étaient intervenus : deux éducateurs particulièrement engagés dans la relation avec Marc étaient partis et une nouvelle éducatrice arrivait.

— L'idée que la séparation d'avec l'enfant est difficile pour l'équipe est timidement suggérée par un éducateur. Idée reprise par la psychologue du Centre qui ajoute que « le plus dur, ce sont ces séparations qui n'en finissent pas et s'étendent sur des mois » (cf. le processus d'intégration de Marc à l'école publique mais aussi le départ du directeur programmé deux ans à l'avance).

— A propos de l'intégration de Marc à l'école, il ressort encore que des divergences sont apparues au sein de l'équipe qui relancent un débat ancien et de fond concernant le moment le plus opportun pour intégrer un enfant à la vie scolaire extérieure.

Doute et inquiétude quant aux chances de Marc de réussir à l'école sont évoqués en même temps que le sentiment pénible d'être condamné à réussir et de ne pas avoir le droit de se tromper (ni pour l'équipe ni pour Marc).

Cela va-t-il marcher ou non ?

Question qui, à l'évidence, fait sens également au niveau de l'équipe par rapport à l'avenir du Centre avec un autre directeur ; reprise aussi d'une interrogation lancinante que les parents semblent vivre et véhiculent au sujet de leur compétence parentale.

— A noter encore que les parents sont ressentis comme ne s'intéressant qu'aux aspects techniques de l'intégration de leur fils en milieu scolaire et non aux aspects relationnels...

Nous avions fait l'hypothèse — dans une précédente synthèse — que Marc, en s'imaginant devoir rester le petit dans sa famille, permettait ainsi à ses parents de continuer à jouer leur rôle, surtout dans un moment où ils étaient confrontés à l'entrée de la sœur cadette de Marc à l'école.

Aujourd'hui, Marc semble déchiré entre le désir de devenir grand et la difficulté de renoncer à la place qu'il occupe en restant le petit tant dans l'institution que dans sa famille.

Mais peut-il se permettre, par ailleurs, de quitter « Horizon » et plus tard ses parents s'il s'imagine que ni l'équipe ni ses parents ne supportent la perspective de la séparation (séparation d'avec lui qui renvoie, pour l'équipe, à la séparation d'avec le directeur et en général d'avec les collègues et les enfants qui s'en vont) ?

Ce qui apparaît, c'est que les ratés de la communication avec la famille de Marc et les comportements (agitation, agressivité) du jeune garçon nous ont donné l'occasion d'évoquer l'ambiance émotionnelle dans l'équipe et dans la famille au moment où des événements importants surviennent ou se sont déjà produits.

Nommer les émotions, les interrogations, les craintes, etc., se donner l'espace et le temps de les vivre, de les poser, renvoie les membres de l'équipe, dans ce cas précis, à leurs propres expériences de séparation et de deuil (réappropriation au niveau personnel et institutionnel) et leur permet de mieux comprendre ce que vivent les membres de la famille et d'éclaircir avec ceux-ci la situation.

Une nouvelle rencontre avec les parents est alors organisée. Les thérapeutes y verbalisent ce qu'ils ont vécu et compris en termes de résonance par rapport au départ de Marc. Ils reconnaissent l'inadéquation du setting et se retirent, laissant un éducateur négocier avec eux le rythme de l'intégration scolaire et la date du départ d'« Horizon ».

La rétroaction est immédiate : les parents verbalisent leurs craintes quant à la scolarité de Marc et les difficultés qu'ils ressentent par rapport à son départ d'« Horizon ». La mère dit : « Nous comprenons que l'institution ne peut pas prendre de risques et c'est à nous, parents, de les assumer. »

Une discussion suit au cours de laquelle chacun exprime ce qu'il vit : les parents trouvent que leur fils a gagné en maturité et qu'il est davantage capable d'exprimer ses émotions (niveau qui était strictement tu auparavant dans la famille).

La démarche difficile de l'équipe, sa remise en question qui fut par moment douloureuse, ont permis l'ouverture d'un espace où la communication est redevenue possible avec et dans la famille.

Simultanément, l'équipe se sent allégée et retrouve plaisir et dynamisme à poursuivre son travail.

En guise de conclusion, bien fonctionner, garder le jeu des interactions ouvert, ne signifie pas l'absence de tensions, d'affrontements, de compromis mais la *nécessité d'utiliser tout ce qui se présente* comme une ressource indispensable au processus de croissance de tous les partenaires de l'institution.

15

APPROCHE SYSTÉMIQUE ET MILIEU OUVERT : DE L'HISTOIRE D'UNE FAMILLE, D'UNE ÉQUIPE ET D'UN RÉSEAU

Jacques PLUYMAEKERS et Bruno ROUGIER

Comme ce titre à l'enseigne de l'équipe et du réseau, le texte qui suit exprime ce que fut notre complémentarité, les intervenants et le consultant, dans ce travail avec une famille, puis, celle de tous les deux, un zeste de complicité en plus, écrivant chacun sa partition selon sa place dans cette « histoire ».

Des données du changement... à l'ouverture

(dans une équipe sectorisée d'un service d'A.E.M.O.[1])

Les données du changement

Pour vous permettre, lecteur, de nous suivre dans notre « histoire » — que nous allons commenter tout au long —, voici, en quelques lignes, l'essentiel du « programme officiel » d'un service de milieu ouvert :

Il s'agit d'actions éducatives, menées par des éducateurs spécialisés, regroupés en petites équipes sectorisées (selon le découpage des circons-

---

1. A.E.M.O. : Assistance Éducative en Milieu Ouvert.

167

criptions d'Action sanitaire et sociale, autour des villes les plus importantes du département) ;

à partir d'un service privé (A.D.V.S.E.A.) mandaté par le juge des enfants et l'Administration sanitaire et sociale (D.D.A.S.S.) ;

au profit d'un ou plusieurs enfants d'une famille, signalés en danger ou en difficulté par un entourage qui réagit : parents, écoles, services sociaux, police, voisins, etc.

Cette définition, *a priori* très administrative, met en exergue à quel point les difficultés « signalées » d'un enfant ou d'un adolescent nous mobilisent nombreux : enfants, parents, familles, environnement et voisins, services sociaux signaleurs, enquêteurs et intervenants, mandants ; puis nous, les éducateurs, avec notre équipe, notre service et notre Association : sans compter le Conseil général qui nous paye, et tous ceux qui nous demandent des explications, des comptes et des résultats...

Pourtant, comme beaucoup de mes collègues, pendant longtemps, c'est le plus souvent isolément et impliqué dans une relation très individualisée avec l'un de ces jeunes, que j'ai tenté d'appliquer ce programme. C'est ainsi que le juge ou l'administration participe à définir cette relation duelle, en désignant « nommément » un ou plusieurs enfants d'une famille dans le libellé d'un jugement[2] ou d'une décision. Désigné et responsabilisé à mon tour individuellement dans mon service, nous nous retrouvions de fait, lui et moi, engagés comme les partenaires essentiels et suffisants de l'action éducative... J'avais à le « ramener » à de meilleures relations pour une communication plus fonctionnelle et plus satisfaisante avec les siens, dans sa famille, et avec les autres, dans son entourage.

Mais dans sa famille, où j'allais fréquemment, l'enfant était très vite repris dans un contexte de vie où l'on s'évertuait à dénoncer et à

---

2. Nos mandats judiciaires et administratifs ont la même définition qu'à la fin des années 1950 : des prises en charge individuelles en référence aux concepts psychanalytiques et aux prises en charge substitutives nécessaires à cette époque pour pallier aux lacunes et aux absences parentales, avec les relais institutionnels qui s'imposaient alors.

Progressivement, les pratiques exprimeront la nécessité du maintien des liens familiaux — y compris lors de placements.

Cette évolution s'inscrit dans les textes, par exemple la loi du 4 juin 1970 : « L'action éducative dans le milieu familial a pour objet non plus de protéger l'enfant en le retirant de sa famille, mais d'agir sur le milieu familial lui-même pour essayer d'y maintenir ou d'y réintégrer l'enfant dans des conditions satisfaisantes. » Mais cela sans pour autant que l'intitulé des prises en charge évolue : il s'agit toujours d'un ou plusieurs enfants nommément désignés, même lorsqu'il s'agit de difficultés parentales ou, plus globalement, familiales.

redéfinir sa responsabilité comme essentielle dans les difficultés, les conflits et les échecs de l'ensemble de la famille. Ainsi désigné, il persistait dans un comportement — pourtant officiellement blâmé — comme s'il ne pouvait s'en passer, contrairement à celui qu'il acquérait parfois à l'extérieur dans un autre contexte, avec d'autres et souvent avec moi pour commencer. Comment comprendre alors l'obstination de certaines de ces familles à maintenir leurs dysfonctionnements — où à y revenir très vite — malgré l'inconfort qu'elles dénonçaient par ailleurs, dont l'inadaptation et la souffrance de l'un des leurs ?

D'où, bien souvent, pour nous éducateurs en milieu ouvert, notre constance et notre durée.

Ces familles, du fait de notre vocation et de notre mandat à les aider, nous invitaient bien des fois à nous montrer efficaces en nous « rendant utiles », tant sur le plan matériel qu' éducatif. Et nous nous efforcions alors, compte tenu de leurs « limites » manifestes — reconnues depuis de nombreuses années — « d'arranger » les choses autant que les intéressés eux-mêmes jusqu'à, parfois, au fil des ans, « être de la famille »... comme une sorte de garant institutionnel sans lequel toute amélioration ne saurait durer. Si cela justifiait la permanence de notre présence, et donc la durée de nos interventions — parfois plusieurs années —, cela en soulignait du même coup les limites, notamment quant à notre objectif visant à l'autonomie des familles.

De tout cela, il nous arrivait d'en parler entre nous cinq, en équipe de secteur. Et si nous commencions d'entrevoir certains aspects de ces enjeux auxquels nous avions progressivement conscience de participer en intervenant, il nous manquait un fil conducteur qui nous aurait permis d'en saisir le sens. Car nous pressentions alors, grâce à notre expérience, qu'il devait y en avoir un...

Si l'enfant retournait dans sa famille, de mon côté je revenais à mon service et à mon équipe de travail où je retrouvais mes collègues et des spécialistes « psy » dans des réunions hebdomadaires, pour évaluer nos interventions. Au fil des ans, c'était devenu une sorte de cérémonial ritualisé, autant dans la façon de chacun d'évaluer son travail... que dans celle des spécialistes d'évaluer nos évaluations : nous savions où nous attendre ! Et l'étude du « pourquoi » d'un comportement nous renvoyait trop souvent à l'insurmontable difficulté de transcrire des concepts psychologiques ou psychanalytiques dans une pratique éducative.

Mieux avertis de nos univers intrapsychiques et de celui des jeunes, dont nous arrivions à mieux définir les symptômes, nous repartions chacun de notre côté et chacun pour soi, plus isolés que jamais...

jusqu'à ne plus avoir grand-chose à nous dire dans ces rencontres ! Mais suffisamment interrogatifs pour nous demander un jour ce que nous faisions ensemble pour ne plus rien faire ensemble... et comment nous nous y prenions pour continuer à le faire tout de même !

Nous étions à la convergence d'une double problématique.

D'une part, en tant que membres d'un groupe de travail stable depuis une dizaine d'années, nous en étions à nous interroger sur ce que nous faisions ensemble pour perpétuer notre insatisfaction et l'inadaptation progressive d'un tel fonctionnement, sans rien en changer.

D'autre part, comme intervenants dans un groupe familial, nous en étions à nous interroger sur ce que les membres d'une même famille faisaient ensemble de leurs difficultés à partir du comportement de l'un d'eux, auquel ils demandaient de changer — et à nous de le changer — sans rien changer du leur.

Analogiquement à ce qui se passait dans la famille de l'enfant, où l'idée de changement — et ça que nous avions constaté, allant dans ce sens — nous paraissait inclure l'ensemble du groupe familial, nous avions ressenti, nous aussi, la nécessité d'un changement qui ne serait plus l'affaire exclusive de l'un d'entre nous, mais impliquerait toute l'équipe.

Nous étions alors à « l'intersection » de la problématique de deux systèmes — famille et équipe — en interaction, *via* la délégation d'un de leurs membres — enfant et éducateur — par chacun de ces groupes.

C'est dans cet état d'esprit que nous avons décidé de changer. A tout prix ! Non par l'analyse institutionnelle pour une régulation de nos insatisfactions, mais changer en redéfinissant notre groupe de travail : entre intervenants éducatifs, sans spécialistes à demeure, hormis ceux que nous appellerions le moment venu, au fil de nos interrogations naissantes. Et changer aussi en nous orientant vers un travail avec l'ensemble du groupe familial que nous commencions de rencontrer, parfois à plusieurs.

Ainsi, une tentative de régulation différente de notre équipe nous introduisait, du même coup, à une redéfinition de notre travail avec l'ensemble du groupe familial, dont les régulations nous avaient renvoyés à celles de notre groupe, au-delà des seuls aspects relationnels, points de repère jusqu'à présent de nos actions éducatives.

Mais nous manquions d'acquis et de ressources. Ce que nous sommes allés chercher nous-mêmes, en équipe, dans une formation à l'approche systémique avec André Chemin. Il a su, compte tenu de ses connaissances du travail éducatif en milieu ouvert, nous apporter en même temps des éléments de repère intéressants en référence au caractère spécifique de notre démarche et à notre identité professionnelle : rester des praticiens éducatifs, mandatés, avec pour moyens supplémentaires une lecture et un travail avec toute la famille.

Après cette formation et nos premières interventions, c'est avec une supervision d'équipe que nous avons pris la mesure d'un travail systémique en continu avec les familles.

En même temps, dans notre service où les expériences professionnelles diversifiées sont encouragées — en fonction des contextes locaux différents et des compétences de chacun —, nous avons pu travailler à « recadrer » nos objectifs sur ceux de nos collègues. D'une relation très individualisée, visant à réintroduire l'enfant à une communication plus satisfaisante et plus fonctionnelle avec les siens et son entourage, nous passions, dans cette même perspective, à un travail avec le groupe familial.

C'était passer d'une ponctuation positive des ressources de l'enfant à une ponctuation positive des ressources et de la compétence de tout le groupe familial, avec la reconnaissance et l'utilisation de nos ressources d'équipe.

Les réactions au changement

Malgré notre prudence, les effets du changement que nous venions d'initier dans nos pratiques nous ont vite échappé... pour nous revenir comme un boomerang !

Si avec notre directeur et mes collègues du service, les échanges ont été ouverts et enrichissants, avec certains de nos mandants et quelques intervenants socio-éducatifs les réactions ont été parfois vives..., mais surtout surprenantes. Surprenantes, parce qu'elles le furent, le plus souvent, de façon aussi caricaturale que peu explicite, essentiellement souterraine, avec des résurgences occasionnelles : des « on-dit » qui venaient éclater ici et là, à la surface d'une onde d'apparence bien tranquille.

En fait, sortis de la crise par le changement, il semblait bien que le changement générait à nouveau la crise en désignant notre équipe, après que nous eûmes désigné la famille comme nouvelle dimension de notre travail !

Que se passait-il donc pour que nous nous retrouvions pris, non seulement nous et les familles mais aussi tous les autres intervenants, dans des rivalités, des désignations, des disqualifications, des conflits de loyauté, des coalitions, des communications dysfonctionnelles, des secrets..., tels que nous avions appris à les repérer et à les travailler jusque-là essentiellement dans les familles où nous allons ou que nous recevons ?

Nous étions confrontés à une autre dimension, avec d'autres effets, avec des réactions qui, au-delà de nos propres systèmes de référence — famille et équipe —, mobilisaient tous ceux qui avaient été ou étaient impliqués dans le signalement de l'enfant. Ils nous interpellaient au nom de la légitimité d'un contrat social qui englobait d'autres prises en charge et leurs spécificités ; peut-être, aussi, au nom d'une nouvelle pratique — la nôtre — qu'ils ne reconnaissaient plus.

Ainsi, en nous mobilisant tous, l'une des fonctions premières — novatrice ou répétitrice — des difficultés signalées d'un enfant ou d'un adolescent serait de faire de nous des partenaires. Et, ainsi, de faire aussi des partenaires les groupes auxquels nous appartenons : avec sa famille, autant de systèmes et de sous-systèmes que d'équipes de travail et de services représentés par les intervenants.

Juste retour de notre mobilisation de départ, nous prenions conscience — grâce aussi à ces réactions — de notre place et de notre participation à un processus interactif de systèmes à systèmes. Processus qui se régule autour du signalement-événement (ou crise), y participant même souvent activement bien avant le mandat qui légalise et légitime ce partenariat ; dans une dynamique de circularité : de l'enfant signalé à partir de son comportement... à l'enfant signaleur du dysfonctionnement de sa famille..., elle-même à son tour signaleuse des dysfonctionnements de l'ensemble des systèmes en interaction. Du signalement de l'un des siens à l'intégration de l'un des nôtres..., et au-delà : de sa famille à nos services ! Cette dimension intersystémique est une dimension de réseau.

Autre dimension, autre moment de recherche et d'expérimentation. Avec, pour nous, la chance de savoir Jacques Pluymaekers à proximité, puis d'obtenir bientôt son accord pour qu'il vienne nous faire bénéficier de son expérience dans ce domaine.

L'ouverture au réseau

Bruno Rougier vient de décrire le contexte dans lequel je suis invité à être consultant de leur équipe. Dès mes premiers contacts, je suis touché par la compétence et la rigueur de ce petit groupe d'éducateurs et d'éducatrices : voilà dix ans qu'à cinq, ils travaillent ensemble sur ce secteur. Cela suscite des questions. Tout au long de ce bail, comment ont-ils évolué ? Comment leur système s'est-il organisé ? Quelle phase d'organisation vivent-ils aujourd'hui ?

Leurs pratiques auprès des familles sont non seulement bien rodées mais ont atteint une vitesse de croisière. Leur travail est reconnu et perçu comme d'excellente qualité. Bien des prises en charge de situations familiales difficiles ont été mieux gérées et souvent avec des résultats. Dans de nombreux cas, les collègues, intervenants sociaux, acceptaient de collaborer : ils « prévenaient » les familles du mode d'intervention proposé.

A côté de ces aspects positifs, apparaissent deux préoccupations, qui, chacune pour leur part, amènent l'équipe à s'intéresser de plus près aux problématiques de réseau. L'une est la conséquence logique du travail rigoureux et référencié à l'approche systémique. En mettant l'accent sur les interactions, l'équipe découvre non seulement les jeux entre les deux systèmes privilégiés (famille et équipe) mais son inscription dans un système plus large : le réseau. Mais comment intégrer ce contexte ?

L'autre, plus concrète, est tout simplement la constatation que les propositions de mandats diminuent... Ce phénomène étonne quand on sait la qualité des interventions ! Et cependant, aux yeux de l'équipe, il n'y a pas de doute : les deux faits sont liés.

Ainsi, un premier bilan du fonctionnement de l'équipe peut se faire, où les choses peuvent se décrire à deux niveaux :

— à un premier niveau, il faut noter l'importance mise par l'équipe, d'une part, à décrire, de façon interne, leurs exigences à propos des conditions techniques, tant pour eux qu'avec les familles ; d'autre part, à l'extérieur, l'investissement pour expliciter leur nouvelle orientation et ses modalités ;

— à un second niveau, l'équipe transmet quelque chose de sa rigueur, de son sérieux et de sa compétence ; en filigrane, cela dit quelque chose de son histoire, et en tant que système de son état d'organisation.

Pour un temps, je m'inscrirai dans cette histoire, où se pressent un moment-charnière dans l'évolution de cette équipe. Rapidement, se font pour moi des liens, d'une part avec ce moment-charnière très proche de ce que j'ai vécu intensément comme responsable d'équipes de travail — je me sens donc très concerné — ; d'autre part, en référence avec le modèle d'évolution de l'organisation d'équipes d'action sociale décrit par R. Pauzé et L. Roy[3].

A la lumière de ce modèle, ce qui apparaît, c'est combien cette équipe a trouvé sa force dans un processus d'uniformisation en référence à l'approche systémique. Celle-ci, en réponse à la nécessité de changement apparue quelques années plus tôt, est aujourd'hui le vecteur même d'une nouvelle réorganisation. Dans le temps, une phase ne peut se poursuivre indéfiniment : soit apparaissent des formes de rigidification, soit sous les pressions des défis internes et externes des changements se font jour. En effet, « malgré ses bons côtés, l'uniformisation constitue, à certains égards, des sources de contraintes, tant pour le fonctionnement du système qui, contraint par l'uniformisation, va inévitablement perdre en complexité et en créativité que pour certains éléments de l'ensemble qui, eux, risquent éventuellement de ne plus trouver de satisfaction à leurs finalités individuelles ».

S'il ne s'installe pas une rigidité presque dogmatique, le fonctionnement d'un système évoluera à travers des moments de crise vers une différenciation de ses membres, souvent avec pour conséquence que l'équipe, dans son ensemble, va être perçue dans le réseau plus large comme « patient désigné ».

Mon propos ne sera pas ici la description de tous les mouvements qui se nouent dans l'équipe, ni l'émergence du processus de différenciation. L'important, comme consultant, est d'en intégrer la dynamique de telle sorte que mes interventions se situent tant à ce niveau qu'à celui des mouvements qui s'opéraient dans l'espace interinstitutionnel.

Comment, par ma lecture, intégrer et comprendre la fonction du processus de différenciation — dans lequel je suis introduit — à la fois à l'intérieur de l'équipe et à la fois à l'extérieur, avec les répercussions qui en découlent dans le réseau, à travers les régulations qu'on m'explicite ?

Comment les régulations qui se jouent à leur propos dans le réseau s'inscrivent-elles dans l'évolution de leur équipe ? Comment contribuent-elles à décloisonner la « contrainte uniformisante » ? Comment, devant les « indices externes » (moins de clients), chacun va-t-il redonner place à ses finalités propres ? Et, inversement, comment l'évolution de cette équipe, dans l'ensemble interinstitutionnel, interpelle et régule bien des enjeux dans la gestion des familles-problèmes ?

---

3. Pauzé R., Roy L., « Agrégats ou systèmes : indices d'analyses », in *Traces de faire, Revue de l'institutionnel*, 4, Paris, 1987.

Pour l'équipe, l'enjeu sera, comme souvent, « de ne pas jeter le bébé avec l'eau du bain » ! En effet, il s'agit bien de se redire les finalités individuelles sans renoncer à ce qui avait renforcé la cohésion de l'équipe : l'approche systémique. Comment garder les acquis et faire entendre le cri : « Nous ne sommes pas *que* systémiques ! » ? En somme, refuser l'enfermement dans une définition réductrice.

De quelle manière me suis-je raconté ce qu'on me donnait à découvrir ?

D'un côté, j'ai vu une équipe préoccupée de la qualité de ses interventions, reconnue comme telle, mais de moins en moins sollicitée ! Une équipe qui améliore sa cohésion, mais se montre moins vigilante au fait qu'elle se structure non seulement autour de l'approche systémique mais surtout des règles de setting en référence à la thérapie familiale (toute la famille présente... contrat... rythme des séances...). Ces règles, l'équipe enthousiaste les précisait aux autres intervenants. Ceux-ci, dans le souvenir des membres de l'équipe, manifestèrent peu d'opposition ; au contraire, nombreux furent ceux qui favorisèrent leurs interventions.

D'un autre côté, m'apparaissait un réseau d'institutions et de familles avec les nombreuses interactions que cela suppose. Dans le cadre de ce réseau plus large, foncièrement bienveillant, des régulations vont s'opérer. Si je tente de les décrire, je dirai : la plupart des intervenants ont bien reçu les messages concernant la nouvelle orientation de l'équipe. Plusieurs sont frappés par la rigueur et la richesse du travail. Ils comprennent l'importance des conditions minimales pour qu'un « travail systémique » s'organise avec le groupe familial. Ils souhaitaient même s'en servir plus fréquemment... Mais, très vite, l'évaluation qu'ils font de nombreuses situations familiales rencontrées les amène à déclarer irréalisable l'accès de ces familles aux conditions trop contraignantes souhaitées par l'équipe éducative.

L'un après l'autre, face à tel ou tel cas, les intervenants renoncent à l'idée de proposer l'équipe pour un mandat A.E.M.O. La famille ne répondra pas aux conditions... Et les intervenants de regretter le temps où l'équipe A.E.M.O. était toujours disponible ! On les verra même irrités par ces changements qui les empêchent de disposer d'un service à la réputation intacte de compétence !

Bref, l'équipe se percevait mais, surtout, était désignée de plus en plus comme une institution ayant un programme officiel : « Ici, nous sommes systémiques et avec ces modalités précises » !

On constate alors que s'installe dans l'espace interinstitutionnel une règle de jeu telle que les intervenants se croient obligés de modeler les familles qu'ils souhaitent faire suivre par l'équipe A.E.M.O. autour de conditions présumées nécessaires ! Tout se passe comme si on voulait déjà résolu le « problème » avant même un début d'intervention. Ainsi, un exemple fréquent et significatif est la famille au père périphérique. L'absence du père est lue comme un élément important du dysfonctionnement familial. Aussi, pense-t-on à une intervention familiale. Mais les conditions de celle-ci imposent la présence du père... Alors, on renonce, puisque c'est justement le problème... du père d'être toujours absent !

Ainsi, cette façon de fonctionner dans les relations entre équipe et réseau avait le mérite de concilier l'incompatible : répondre au mythe (« votre compétence systémique est reconnue ») sans pour cela avoir à le concrétiser (« aucun cas ne rentre dans les conditions »).

Au moment où je suis interpellé comme consultant, l'équipe réalise le message d'insatisfaction (« On ne peut plus compter sur vous ») et elle prend conscience de la diminution de cas proposés...

Que faire d'emblée sinon expliciter l'analyse avec l'équipe ! Cependant, il faut dire qu'à la fin de cette première rencontre, les choses n'étaient pas à ce point formalisées. Par ailleurs, l'équipe courait un risque énorme : cette analyse, pourrait-elle l'utiliser dans les contacts avec le réseau comme facteur de changement ? Quant à moi, il fallait absolument que je puisse découvrir en direct les règles de fonctionnement dans ce réseau. Et ceci de deux façons différentes.

La première s'est faite à l'occasion d'un contact entre l'équipe et le réseau. J'ai alors utilisé ma présence à la fois comme confirmation de l'orientation systémique et comme possibilité d'actualiser la manière très concrète dont s'étaient nouées peu à peu les relations (... relations tendues, puisque à voix quasiment haute, les uns se plaignaient d'être mis à l'écart et les autres regrettaient de ne pouvoir compter sur l'équipe comme dans le passé).

La seconde, à l'occasion d'un travail en direct avec le réseau et la famille Bastier, à la demande de Bruno Rougier et de l'équipe, dont il va être question maintenant. Ce qui suit reprend très concrètement nos propos à tous les deux, dans le travail de réseau et avec une famille.

D'une réunion d'intervenants...
à une réunion de famille

De l'histoire d'une famille...
à celle des intervenants
(Réception d'une mesure d'A.E.M.O.)

Comme d'habitude, tout a commencé à la réception d'une ordonnance du juge des enfants « aux fins de mesure éducative en milieu ouvert », pour une période de six mois. Sur cette ordonnance, sont mentionnés : le nom et l'âge des enfants concernés, Nicolas 10 ans et Valérie 6 ans, ainsi que le nom des parents, M. et Mme Bastier, et leur adresse.

C'est alors la période des congés d'été. L'une de mes collègues, seule sur le secteur à cette époque de l'année, ira consulter le dossier au tribunal. Elle va découvrir la complexité d'une situation familiale examinée à nouveau par le juge, lors d'un entretien récent avec les parents, en présence de leur assistante sociale (A.S.E.[4]). Ce magistrat remplaçait un collègue, absent depuis plusieurs mois, qui avait décidé, trois ans plus tôt, de placer Nicolas et Valérie. Confiés pour cela au Service de l'Aide sociale à l'enfance (A.S.E.), tous les deux vivaient depuis lors en famille d'accueil où ils sont encore actuellement, avec des visites mensuelles à leurs parents, ponctuées de conflits — apparemment sans issue — avec le service « responsable ». D'où cette entrevue, souhaitée et attendue depuis longtemps : M. et Mme Bastier étaient allés réclamer la « restitution » sans conditions de leurs enfants.

Dans leur dossier, il y a un « procès-verbal d'audition » qui précise l'accord du juge des enfants et ce qu'il a convenu avec eux à ce propos - y compris qu'ils réclamaient ce retour depuis plus d'un an.

Le P.V. mentionne le point de vue divergent de l'assistante sociale (A.S.E.), présente à l'entretien, et les réticences des autres travailleurs sociaux à l'idée du retour des enfants dans leur famille : en fonction des risques que cela comporterait, et, entre autres, celui d'interrompre leur évolution positive en famille d'accueil.

Malgré cela, après discussion, il est convenu de leur retour dans six mois. Pour les y préparer, les visites sont précisées (week-ends et vacances scolaires), et il incombera aux parents d'inscrire leurs enfants à

---

4. A.S.E. : Aide Sociale à l'Enfance.

l'école la plus proche de leur domicile ainsi que d'aménager leur appartement pour pouvoir les recevoir dans de bonnes conditions. Une A.E.M.O. est décidée — et acceptée — pour les y aider, en collaboration avec l'A.S.E. responsable actuellement du placement.

Dans le dossier, se trouve aussi leur histoire familiale depuis huit ans : trois enquêtes sociales, à des époques différentes, et plusieurs comptes rendus de placements. Placement de Nicolas, seul d'abord avec sa sœur ensuite. Tout cela articulé autour de la violence du père dont on relate la délinquance et la « folie »...

Avec ces informations, l'éducatrice de notre service a compris d'emblée que, dans cette situation, l'adjonction d'une A.E.M.O. à l'intervention de l'A.S.E. risquait fort de faire surgir des difficultés entre les intervenants et leurs services. Elle a décidé alors d'aller au-devant de réactions inévitables en se manifestant très vite par téléphone.

En l'absence de l'assistante sociale responsable, c'est d'abord la secrétaire qui va lui répondre en faisant allusion aux réactions dans son service à la suite de la décision prise pour cette famille : « On en a beaucoup parlé ces jours-ci... » L'assistante sociale la rappellera dès le lendemain. Elle est abasourdie et ne comprend plus. Le juge des enfants n'avait tenu aucun compte de ses observations ! D'ailleurs, les enfants réagissent différemment : Valérie est ravie, alors que Nicolas s'inquiète de ce qui va se passer, notamment pour ses vacances en famille... Pour en savoir plus, elle conseille à ma collègue de joindre leur psychologue ; et elles évoquent ensemble l'intérêt d'une rencontre pour en parler après la période des congés. Ma collègue envisage, dans ce cas, de n'envoyer qu'une simple lettre à la famille pour bénéficier de ce temps de réflexion.

Quelques jours plus tard, toujours au téléphone, la psychologue de l'A.S.E. ne lui en dira pas beaucoup plus. Elle n'avait plus revu les enfants depuis longtemps, et si elle avait reçu les parents à cette occasion elle ne les avait pas suivis : c'est de la compétence du secteur psychiatrique ; mais où en sont-ils actuellement ?

Enfin, autre réaction, le lendemain, d'un travailleur social du même service. Le juge des enfants avait, selon lui, cassé tout le travail d'un placement qui aurait dû se poursuivre ; les dés seraient pipés..., nous irions ainsi au casse-pipe... Mais tout cela autour d'un malentendu que l'éducatrice a pu reprendre : il avait compris, lui, qu'il s'agissait d'un retour immédiat des enfants !

En relation avec les travailleurs sociaux les plus touchés par la nouvelle décision du juge des enfants, ma collègue a pu obtenir de l'information et en donner en retour — pour l'essentiel, les reconnaître dans ce travail —, créant, du même coup, les conditions nécessaires pour que le projet d'une rencontre nous permette de continuer à le faire. Ensuite, de par son approche, à la fois prudente et compréhensive, c'était développer et faire partager ainsi une stratégie d'attente constructive ; non seulement pour nous, les intervenants, autour de ce projet de rencontre, mais aussi pour la famille à laquelle elle va écrire dans ce sens : en informant les parents de notre mandat et en évoquant la période à venir durant laquelle les enfants seront en famille, d'où ils seront inscrits pour la rentrée scolaire : sans leur fixer de rendez-vous dans l'immédiat.

Le message implicite de sa lettre devait pouvoir être compris ainsi : nous savons que les enfants sont en vacances avec vous et que vous avez à vous occuper de leur inscription scolaire ; nous ne sommes pas inquiets et nous vous laissons vous organiser en parents responsables. L'éducatrice proposant seulement une disponibilité qu'ils avaient à apprécier.

Trois semaines plus tard, nous réexaminions ensemble cette situation et nous décidions que je la prenais « en responsabilité », avec cette collègue comme cointervenante.

C'est à ce moment-là que nous nous sommes rendu compte des points de repère significatifs que nous avions avec cette famille :

Au cours de son adolescence, M. Bastier avait été suivi par notre service — et par moi-même, un très court laps de temps — avant un placement en institution.

Nous savions, par ailleurs, que Mme Bastier avait été placée, enfant, comme tous ses frères et sœurs l'avaient été, à tour de rôle, et que sa mère était une enfant de l'Assistance publique — information que nous détenions depuis une A.E.M.O. pour l'un de ses frères (en tant que jeune majeur).

En fait, tous les services sociaux, éducatifs et de soins du département, et tous les établissements, ont eu à intervenir auprès de l'une ou l'autre des familles respectives de ce couple : à tour de rôle — séparément ou ensemble — selon la spécificité de chacun d'eux ; avec des points de vue parfois convergents, mais aussi des désaccords ; de toute façon, malmenés par l'inexorable répétition des difficultés et des crises explosives dans ces familles...

Actuellement, plusieurs d'entre eux poursuivent leurs interventions auprès de la famille Bastier : le Service de l'Aide sociale à l'enfance (A.S.E.) et la famille d'accueil, l'équipe de secteur adulte de l'hôpital psychiatrique, le service de Probation du tribunal (M. Bastier a fait de la prison), l'école et les services scolaires, et, enfin, l'Hygiène mentale infantile pour une thérapie dont Nicolas bénéficie à la demande de l'A.S.E. et de la famille d'accueil.

Et, à nouveau nous, l'A.E.M.O., après cette courte période d'intervention il y a de cela plus de dix ans... Éternel recommencement ? Nous reprenions notre tour à la génération suivante !

Ainsi, ce n'était plus seulement l'histoire de cette famille que nous parcourions dans leur dossier lors de cette relecture, c'était aussi l'histoire de tous nos services, enchevêtrée dans la leur. En somme, une histoire commune : notre histoire.

Et cette histoire nous a renvoyés au travail que nous commencions de faire avec Jacques Pluymaekers qui, à notre demande, nous initie à l'idée que les familles ne sont pas des systèmes isolés et qu'elles ne peuvent être comprises dans leur façon de s'organiser et de communiquer qu'en relation et en interaction permanente avec d'autres systèmes, y compris et surtout ceux auxquels appartiennent les intervenants quand ils sont nombreux. C'est ce que cette situation évoque pour nous, avec l'intérêt qu'il y aurait là à ouvrir notre travail de recherche à nos partenaires auxquels nous nous sentons liés par ce qui arrive à cette famille, par ce qui nous arrive... à commencer par la nécessité, où nous nous sommes trouvés, de nous interpeller à la suite de ce mandat, avant même d'avoir rencontré parents et enfants.

Jusqu'à présent, l'intervention de ma collègue nous a épargné une incorporation trop brutale et sans distanciation dans des enjeux de services à services. Ce faisant, nous devons pouvoir éviter d'être aspirés dans un processus d'escalade symétrique, qui, par équipes interposées et à partir de points de vue différents, reprendrait les conclusions et les décisions différentes des deux juges. Aussi, pensons-nous pouvoir compter sur des relations suffisamment positives entre nous et nos services pour confirmer la date d'une première rencontre au centre social, telle que prévue.

A cette réunion, où sont les travailleurs sociaux de l'Aide sociale à l'enfance, l'assistante sociale de secteur et le thérapeute de Nicolas ? Nous allons prendre en considération leurs réactions tout à fait compréhensibles, occasionnées par la décision inattendue du juge, selon les inquiétudes qu'elle a fait naître chez tous. Mais nous allons dire, aussi, l'obligation où nous sommes d'« obéir »[5], puisque nous sommes man-

---

5. « Obéir » — nous sommes, en fait, mandatés — est employé ici, non parce qu'il y aurait la possibilité de « désobéir » — le mandat demeure —, mais bien celle de

datés pour envisager le retour des enfants : comme ils l'ont été pour leur placement et comme ils le restent, avec nous maintenant, pour ce nouvel objectif qui nous est imparti en commun...

Et, bientôt, la possibilité d'envisager une réelle collaboration. Pour la renforcer, nous leur proposons d'innover, en les invitant à bénéficier avec nous de l'apport technique d'un intervenant extérieur. Nous pourrions, de cette façon, expérimenter une démarche socio-éducative concertée à partir de nos interrogations : comment nous y prendre avec cette famille, après la nouvelle décision judiciaire, et quoi faire de nos avis partagés et de nos rôles différents ?

Après leur accord, j'obtiens celui de J. Pluymaekers au téléphone. Il s'informe de façon à réunir en réseau les intervenants.

Réunion de réseau

C'est donc la perspective d'une réflexion commune sur nos pratiques avec la famille Bastier, sous la conduite d'un intervenant extérieur, qui nous réunit le jour dit à notre service. Il y a l'assistante sociale de secteur, l'assistante sociale du service de l'A.S.E., l'infirmier psychiatrique du secteur adulte, trois collègues éducateurs, notre secrétaire et moi-même, avec J. Pluymaekers. L'assistante sociale du service de probation téléphonera pour s'excuser de son absence..., et nous transmettre une information importante.

Pour commencer, j'organise les échanges autour de la décision du juge, avec le sens que cela prend pour chacun selon les informations dont il dispose dans le travail avec la famille Bastier.

Pour l'assistante sociale (A.S.E.), c'est une longue histoire : celle d'un placement de trois ans au cours duquel les enfants ont vécu une situation d'abandon, avec, depuis un an maintenant, les demandes réitérées de leurs parents pour les reprendre. L'une de leurs précédentes réclamations avait engagé le juge des enfants à revoir leur situation et il avait décidé au préalable de faire mener une nouvelle enquête sociale. Puis il y avait eu cette longue vacance du judiciaire... jusqu'à ce rendez-vous tardif décidé par un autre juge, à la suite des difficul-

---

s'arranger pour démontrer, en collusion avec la famille et les autres intervenants — avec l'apparente meilleure volonté du monde —, l'erreur du mandant ; et du même coup, le bien-fondé des appréhensions des intervenants à partir des informations transmises et qu'il a décidé de ne pas suivre (il n'a pas « obéi »).

Confusion de deux niveaux différents : technique et administratif, par ailleurs indissociables.

tées signalées depuis quelque temps, dans l'organisation des droits de visite. De fait, M. et Mme Bastier n'acceptaient plus les règles proposées par l'A.S.E. (visites un jour de week-end par quinzaine) ; ils exigeaient une réponse du magistrat à leur demande d'audience et voulaient obtenir le retour de leurs enfants.

Les conclusions de l'enquête sociale remontent maintenant à six mois. Elles font ressortir l'évolution positive des enfants en famille d'accueil, l'aspect prématuré de la remise en question du placement — compte tenu des conditions de vie matérielles précaires de la famille — et la pathologie persistante du couple. Sont mentionnés aussi : les efforts du père, qui permettent d'envisager un élargissement progressif du droit de visite, dont un week-end par mois avec une nuit chez leurs parents. Des réserves sont cependant émises à propos de Mme Bastier dans sa fonction maternelle.

L'assistante sociale de secteur confirme la demande des parents pour le retour de leurs enfants ; mais, selon elle, c'est davantage le moyen de percevoir l'allocation logement. Elle les a connus à un moment de difficulté financière, due à des arriérés de loyers et sous la menace d'une expulsion. Elle s'en rapporte à l'A.S.E. à propos des enfants.

L'infirmier du dispensaire d'Hygiène mentale adulte (et l'équipe) a surtout rencontré le couple. Il pense que la demande actuelle est davantage celle de Monsieur qui parle là en « chef de famille ». Avec le médecin psychiatre, ils ne connaissent pas les enfants mais connaissent bien les familles respectives des parents Bastier, notamment la famille de Madame dans laquelle il y a des dysfonctionnements graves autour de l'agressivité et de l'alcoolisme : c'est aussi à partir de ces mêmes difficultés que Mme Bastier a réclamé à plusieurs reprises l'hospitalisation de son mari. Depuis quelque temps, le Service refuse de marcher dans ce jeu, avec, à la demande de M. Bastier, un suivi en consultation externe : comme ils avaient refusé, deux ans plus tôt, de le reconnaître et de l'installer dans un statut de handicapé et de pensionné à sa sortie d'hôpital.

A propos du rôle essentiel de M. Bastier dans la démarche du couple au tribunal, l'assistante sociale (A.S.E.) précise que, lorsqu'il était hospitalisé, sa femme ne prenait les enfants que pendant ses sorties. Le placement actuel des enfants remonte à cette hospitalisation, à la suite d'une crise dépressive et de violences à l'encontre de l'un d'eux. A cette époque, c'est Mme Bastier, avec l'aide d'un éducateur du Service de Probation, qui avait demandé le placement des enfants à la D.D.A.S.S.[6] avec le statut de « Recueillis Temporaires » (R.T.). Lorsque, par la suite, le père avait réclamé ses enfants, la D.D.A.S.S. s'y était opposée en saisissant le juge des enfants, compte tenu des conflits dans le couple : il était alors question de séparation.

Informée de ces difficultés, la famille d'accueil attendait elle aussi un aménagement des droits de visite des parents, non un retour des enfants dans leur famille. Et cette décision a été prise sans son avis !...

L'actualisation d'une décision judiciaire au bénéfice de cette famille, malgré leur intention louable d'aller de l'avant, renvoie nos partenaires à leurs craintes : ils ont en mémoire un passif trop lourd pour ne pas être saisis par le spectre des risques qu'encourent les enfants si... Bien que « tout nouveaux », nous ne pouvons pas éviter d'être pris progressivement dans la spirale de leurs appréhensions.

C'est le moment que choisit J. Pluymaekers pour intervenir. Il nous renvoie à l'entretien des parents avec le juge des enfants et demande à l'assistante sociale (A.S.E.), présente à l'audience de nous donner son point de vue.

Son sentiment, nous dit-elle, est que le juge des enfants connaissait bien le dossier de cette famille. Il l'avait d'ailleurs écoutée avec attention. D'accord avec elle sur l'essentiel, notamment pour prévoir un retour progressif des enfants dans leur famille, il lui avait cependant confié qu'il avait à tenir compte d'autres éléments... C'est ensuite, en présence des parents et contre toute attente, qu'il avait conclu à leur retour immédiat ! Elle a été abasourdie... : les enfants n'avaient pas passé une seule nuit dans leur famille depuis trois ans !

C'est alors que M. Bastier était intervenu en proposant, dans l'intérêt de ses enfants, une période de préparation transitoire pour les six mois à venir. C'est, en définitive, ce qui a été conclu. En sortant de cet entretien, M. Bastier de lui dire : « Vous voyez que je tiens compte de l'intérêt des enfants ! » Alors que, dans l'enquête sociale, il avait déclaré : « C'est tout ou rien, on va finir par les laisser là-bas... »

Relecture et hypothèses : « Mainlevée sur son histoire »

La discussion au cours de la réunion fut organisée en deux temps. L'un venait de permettre à chacun de se situer et de définir, selon son point de vue, le problème, ce dont Bruno Rougier vient de résumer l'essentiel. L'autre devait permettre de relire comment s'articulaient,

6. D.D.A.S.S. : Direction Départementale d'Action Sociale.

ou plus exactement, comment venaient de s'articuler, de façon nécessairement tout à fait spécifique, les interventions familiales et institutionnelles. C'est dans cette seconde partie que mon rôle de consultant sera le plus actif. Et, c'est de celle-là dont je vais vous parler.

Nous étions en présence de points de vue différents, chacun pouvant trouver sa cohérence pour autant qu'on le comprenne en référence à des délimitations très étroites du système, naturellement réductrices des logiques institutionnelles. L'infirmier du D.H.M.A.[7] avait raison de voir les progrès d'autonomie de M. Bastier ; l'assistante sociale du secteur de penser que le souci des parents de voir les enfants revenir était lié aux difficultés de logement... c'est si fréquent. L'assistante sociale de l'Aide à l'enfance ne pouvait, ne devait voir que le bien des enfants et combien il fallait reconnaître la qualité de la famille d'accueil... Et ainsi de suite...

L'action de chacun est ainsi cohérente par rapport à la logique de chaque institution et personne ne nie la nécessité de coordination. Peu imaginent cependant comment, au niveau d'un système plus large du réseau, les décisions « isolées » des uns et des autres s'inscrivent, non seulement dans les règles officielles qui président aux relations entre institutions (par exemple, répartition des compétences), mais aussi dans les règles implicites qui se créent à ce niveau interinstitutionnel.

A ce niveau aussi, les choses trouvent leur cohérence. C'est elle qui nous intéresse : comment, à ce niveau, les régulations s'opèrent-elles ? Comment lire la façon spécifique dont chacun a vu l'évolution de la situation en y intégrant les liens obligés avec le fonctionnement des services entre eux et, faut-il l'ajouter, les liens de chacun avec les règles de sa famille d'origine ? (Nous sommes devant un cas d'appropriation d'enfants... A qui seront-ils ? Cela nous touche tous.)

Cette dimension toute singulière, j'y suis confronté ici même, dans la réunion : que se joue-t-il sous mes yeux, entre les différents intervenants réunis ?

S'il est exact de dire que chacun racontait la famille à sa façon, il est tout aussi important de voir comment ce qui était raconté de même que la manière de relater reprenaient à un niveau analogique tous les enjeux institutionnels... et personnels.

En parlant de cette famille (de ces familles), chacun construit une « métaphore » dont la famille-problème est le support mais qui « parle » les enjeux institutionnels.

---

7. D.H.M.A. : Dispensaire d'Hygiène Mentale pour Adultes.

Les multiples façons de présenter le problème et de parler de cette famille évoquaient des images de combat : combat entre une famille et des services sociaux, combat entre divers services, entre des familles, entre des conjoints... chacun avait eu à livrer de nombreuses batailles... et cela ne semblait pas fini...

Comme souvent, ce qui semble être à gagner, c'est la bonne solution. Plus précisément, comment s'imposer avec la bonne solution qu'on défend ?

Les expressions rapportées et accentuées prennent alors un sens, telles : « La famille est sortie victorieuse », dira l'A.S.E. « C'était tout... ou rien », aurait dit le père.

Si la recherche d'une « bonne solution » donne un contenu à ce type de « débat-combat », c'en est rarement l'enjeu. En effet, dans ce type de « débat-combat », l'important pour conclure est qu'apparaissent un perdant et un gagnant. Il est très rare de voir prise en compte une analyse sérieuse des avantages et des inconvénients de la solution choisie. De même, on semble peu s'interroger sur ce que cela change, que ce soit l'un ou l'autre qui « gagne ».

Ainsi, chez le juge des enfants, au cours de l'entretien avec la famille, l'A.S.E. est persuadée de sa défaite, non objectivement en raison de la solution décidée, mais à partir de son vécu. Or, s'il y a un gagnant, le père en l'occurrence cette fois-ci, elle ne peut être que la perdante ! Et c'est d'autant plus vrai pour elle que sur le terrain du contenu son opposition était fondée, que le juge et les parents l'avaient entendue, que le juge la notera même sur le procès-verbal d'audience... mais sans en tenir compte.

Le jeu ne semble pas se dérouler comme prévu. Le juge en aurait-il changé les règles ? A quelle place me mettre si je ne suis pas la gagnante ?

Ainsi, la solution — bonne ou mauvaise — décidée dans ce contexte « gagnant-perdant » ne peut être prise pour elle-même. Elle devient le support de la poursuite du « combat », le cadre du « round suivant ». C'est un coup dans un jeu d'échecs entre famille et services sociaux... jeu sans fin, faut-il le dire.

De fait, chacun va au plus vite mettre en place « des suites ». En l'occurrence ici, les choses vont se jouer dans l'entretien même.

Le juge vient de décider le retour immédiat des enfants. L'A.S.E. est catastrophée...

Les choses devraient en rester là, le jeu s'arrêter ! Non, les joueurs se remettent en place dans le moment même : le père propose de postposer la décision. Ils ne sont pas encore prêts : aller si vite serait difficile pour les enfants...

Il s'organise alors une autre formule : le retour définitif des enfants n'est pas remis en question mais il aura lieu en décembre et, dans l'intervalle, un service A.E.M.O. sera chargé de le préparer.

Pour l'A.S.E., rien n'est peut-être joué ! Il est évident pour elle, malgré sa désignation par le juge pour accompagner le retour, que l'équipe A.E.M.O. partagera son point de vue. L'« évidence et le bon sens » redeviendront la règle. C'est aussi une question de loyauté entre services.

L'équipe A.E.M.O. va, comme nous l'avons lu, prendre l'initiative de cette réunion où l'objectif sera ces possibilités de relecture des événements-crises dans un contexte plus large.

Au compte rendu « combat », « gagnant-perdant », viennent s'adjoindre bien d'autres informations. L'infirmier du D.H.M.A. a rappelé le fonctionnement de cette famille dans sa relation avec l'hôpital psychiatrique. Il a insisté sur les analogies entre le couple de M. et Mme Bastier et ce qui se jouait dans le couple des parents de Madame.

L'assistante sociale de secteur a précisé le contexte où apparaît la démarche auprès du juge, soutenue par le D.H.M.A. L'équipe A.E.M.O., elle-même, est très proche puisqu'elle a connu l'un des parents comme adolescent et le frère de Madame : « suivi par leur service ».

Ces informations nombreuses mais éparses peuvent-elles livrer un fil conducteur ? Qu'est-ce qui relie ces images si contrastées que donne la famille ? Quel intérêt peut-on y lire ?

Une première hypothèse est avancée. Elle s'articulerait autour du thème : « Mainlevée sur son propre dossier, sur sa propre histoire ». Sur ce thème, aussi bien les services sociaux que les parents se mettent à utiliser les enfants : les uns par conviction d'une protection à leur fournir, les autres certains (à juste titre d'ailleurs, de leur point de vue) que, sur ce terrain, ils évolueront vraiment si on les « considère comme des adultes ».

Cette hypothèse est intéressante dans la mesure où elle nous fait comprendre comment le « débat-combat » a pour contenu « protection — non protection », alors que l'enjeu relationnel est pour les parents : « exister ou non pour soi-même » ; pour les services : maintenir leur dépendance ou accepter qu'ils existent pour eux-mêmes !

Un coup de téléphone interrompt alors la réunion : c'est l'assistante sociale de probation qui appelle. Elle confirme son impossibilité de rejoindre la réunion avant d'ajouter une information importante à ses yeux, disant que, selon M. Bastier — mais il faut tenir la chose secrète —, son couple serait en train de se séparer.

Information intéressante, car les intervenants réunis vont de suite reprendre le débat-combat autour du thème « protection-non protection » des enfants. Thème qui avait été celui qui avait motivé la première demande de placement.

Dans ce débat, impossible pour moi de m'engager. Aussi, je proposais de poursuivre le travail par une approche circonstanciée du moment-charnière : la rencontre des parents chez le juge, en présence de l'A.S.E. Voici un extrait de cette discussion.

Consultant *(à l'A.S.E.)*. — Pouvez-vous redire comment l'entretien chez le juge s'est déroulé et, d'abord, qui était présent ?

A.S.E. — Il y avait les parents et moi-même. La famille d'accueil n'était pas là. Mais quelle décision étonnante !

Infirmier D.H.M.A. — La décision du juge met en cause la séparation actuelle des époux. Ils ont peur de dire qu'ils se séparent.

Consultant. — C'est une information d'aujourd'hui. Reprenons notre image : au point où ils sont de leur combat d'homme et de femme, par rapport à cette institution dont ils ne sont pas parvenus à se séparer, il est important qu'il y ait, enfin, mainlevée sur leur propre dossier, leur propre vie. Il faut qu'ils apparaissent conformes... entre autres, « ne pas se séparer ».

Éducateur A.E.M.O. — Et en même temps, en se séparant, reprendre le combat !

Consultant. — Oui, parce qu'en même temps, c'est rendre le retour des enfants impossible ! *(à l'A.S.E.)*. Et chez le juge ?

A.S.E. — Deux services maintenant s'affrontaient.

Consultant. — L'A.E.M.O. n'existait pas encore !

A.S.E. — Dans la parole du juge, on trouvait cela : « J'aurai mon service à mes côtés, il me tiendra au courant de ce qui se passe et comment vous agissez avec les enfants. »

Consultant. — Autrement dit, vous n'êtes pas fiables !

A.S.E. — Voilà. C'est ainsi que cela a été présenté à la famille, qui est sortie victorieuse de la réunion. C'est un combat.

Consultant. — Ce sentiment de victoire de la famille, je l'entends bien. Maintenant, quelle est la bataille gagnée ?

A.S.E. — La reconnaissance en tant que parents.

Consultant. — Peut-être un début de reconnaissance. Le père et la mère avaient réussi à convaincre le juge de réexaminer leur dossier et de reconnaître en droit qu'ils ne seraient plus des enfants du monde judiciaire. Il s'agit là d'une victoire mais cette victoire — vue à partir de notre hypothèse — va-t-elle contre vous ? Cela corroborerait-il le fait que vous ayez « mal travaillé » ?

A.S.E. — Oui.

Consultant. — Ce qui est insupportable pour un service !

A.S.E. — Je le crois.

Consultant. — Moi, je n'en suis pas si sûr. La victoire de ce couple est à lire d'abord par rapport à leur propre situation. Ils se servent du retour de leurs enfants pour obtenir effectivement quelque chose pour eux.

Quelles règles communes aux enjeux familiaux et aux enjeux institutionnels pourrions-nous avancer qui nous permettraient de reprendre dans une cohérence tout ce qui s'est joué depuis des mois entre famille(s) et services sociaux et ce qui s'est joué ici et maintenant dans cette réunion de réseau ? Tout semblait se passer comme si, d'une manière ou d'une autre, il fallait que se délimitent le camp des bons et le camp des mauvais. Depuis des mois, des années mêmes, services sociaux et famille s'étaient organisés autour du fait de savoir qui, d'eux ou des parents, de la mère ou du père, étaient capables d'élever les enfants. Au gré des alliances et alternativement, ce fut l'un et puis l'autre... Mais d'un autre côté, tant que durait cette vision et qu'ils intervenaient sur ce modèle, les services trouvaient un minimum d'entente.

Par contre, au moment où se développe chez les parents une stratégie symptomatique ayant pour fonction leurs finalités individuelles de reconnaissance et que, dès lors, ils sont capables de se présenter ensemble et d'agir ensemble, ils induisent un autre comportement chez le juge. Par son comportement compréhensif et décisionnel, d'une part, il accrédite dans leur démarche cet homme et cette femme comme « bons parents » et, d'autre part, en introduisant l'A.E.M.O., il recadre le débat bon/mauvais sur les services ! Alors, qui sera le bon service et conséquemment le mauvais ? La problématique bon/mauvais est ainsi maintenue. Rien ne change... et pourtant ! Cette fonction est d'habitude assurée à travers une démarcation famille mauvaise/bon service, appelant l'inverse mauvais service/bonne famille. Mais ici, elle est assurée de façon spécifique : bon père contre mauvaise mère ou inversement. Lors de l'entretien avec le juge, les « choses glissent » et nous nous retrouvons face à des parents désignés par le juge comme responsables, tandis que deux services se retrouvent à se demander lequel des deux sera le bon !

Première rencontre avec la famille

A la suite de cette réunion de travail en réseau, nous avons écrit une troisième lettre à M. et Mme Bastier pour leur proposer un rendez-vous à notre service, avec leurs enfants. Nous leur disons en même temps comment nous nous sommes entendus avec leur assistante sociale et la famille d'accueil (à qui nous avons écrit à cette occasion, avec le souhait de la rencontrer) pour qu'ils puissent aller chercher leurs enfants ce jour-là à la sortie de l'école, en ayant à les ramener ensuite en famille d'accueil, avec notre aide si nécessaire.

A la date et à l'heure proposées, toute la famille est là.

Voici quelques extraits de ce que nous avons fait ensemble et de ce que nous nous sommes dit, entrecoupés de nos réflexions et de notre analyse.

Dès notre poignée de main, M. Bastier évoque nos rencontres passées, tandis que je m'applique à l'appeler par son nom de famille (après l'avoir appelé par son prénom lorsqu'il était adolescent, surpris aussi que la plupart des intervenants continuent à le faire, de même pour sa femme). Il est tendu et me confie son inquiétude à revenir dans un service qui lui rappelle une période difficile.

Mme Bastier et Valérie sont souriantes. Nicolas est tendu, comme son père.

Les parents s'installent côte à côte. Nicolas, à côté de son père. Et Valérie, du même côté, mais séparée de son frère par une chaise inoccupée, comme isolée, faisant face à sa mère.

Les présentations faites, Madame prend la parole pour nous expliquer de quelle façon elle est, elle aussi, en « filiation » avec nous et notre service :

Madame. — Quand j'ai reçu la convocation (lettre), j'ai demandé à mon frère : « Qui te suit ? » Il m'a dit que c'était vous. Je lui ai dit que vous alliez suivre Nicolas et Valérie. Il est très content de vous..., bien bien content.

D'emblée, nous sommes bien dans une histoire commune, avec un passé qui évoque des problèmes familiaux. Nous sommes engagés à un niveau transgénérationnel : par le père — après lui, son fils ; et par la mère — avant elle, son frère et leur famille (« A.E.M.O.-jeune majeur » qui vient de s'achever et quelques rencontres avec ses parents).

Après le constat réciproque d'une organisation fonctionnelle qui nous permet de les rencontrer en famille, j'évoque notre mandat judiciaire.

Éducateur 1. — Nous avons reçu la décision du juge des enfants, après que vous l'ayez rencontré. Nous avons cru comprendre que vous cherchiez à le voir depuis un moment...

Monsieur et Madame. — Un an !

Monsieur. — Il y a eu un an au mois de juin... Ça a été lamentable pour les gamins ! Et encore, on a eu un beau résultat ! Ça va.

Madame. — Oui...

Éducateur 1. — Et ce bon résultat ?

Monsieur. — ... de récupérer Nicolas et Valérie ! J'aurais pu les avoir de suite..., parce que d'abord on nous avait proposé de les reprendre l'année prochaine. J'ai dit : « Ça, pas question ! Si je reprends les enfants, c'est maintenant, ou je les reprends pas... » Qu'est-ce que c'est de faire attendre ? Déjà la convocation, il a fallu attendre ! Et, soi-disant, les enfants... Que j'attende un an ! J'ai dit : « Non, non »... J'ai dit : « C'est de suite ou pas du tout ! »

Éducateur 1. — Oui...

Monsieur. — Attendre l'année prochaine pour récupérer les petits ? Non ! Les avoir que le week-end ? Non ! Pendant trois ans ça a été ce cinéma, c'est terminé ! Après, on a trouvé un terrain d'entente. J'ai dit : « Voilà, je veux vous proposer..., puisqu'on est ensemble... »

Valérie. — (tousse, inaudible).

Monsieur. — « ... qu'on prenne Valérie et Nicolas les vacances scolaires et les week-ends jusqu'à Noël, et, si ça va bien, on les récupère définitivement. » On aurait pu les avoir de suite... Mais j'avais peur que quand ils reviendraient à la maison... D'un coup ! Ça risque de...

Madame. — ... de les brusquer un peu !

Monsieur. — De les brusquer. Alors, je préfère... Oui, ça se passe bien, pas de problèmes... On les a eus quinze jours pour les vacances.

Madame (reprenant la parole à son mari). — Maintenant, on les récupère à la sortie de l'école jusqu'au lundi et c'est la famille d'accueil qui les reprend le soir. Nicolas est grand. Il va à pied à son école.

M. Bastier s'affirme comme l'artisan et le stratège du retour des enfants. C'est lui qui montre son autorité, c'est lui qui mène les débats, sa femme ponctuant son discours en le confirmant. Par contre, il la laisse intervenir à propos des trajets scolaires : partage des responsabilités ?

C'est un bon résultat, nous dit-il, que d'avoir obtenu gain de cause malgré la non-réponse « abusive » du juge qui voulait d'abord différer le retour des enfants d'un an. C'est lui qui s'est battu pour ce résultat-là (sa femme acquiesce), se faisant reconnaître par le juge dans ses droits. Il fait à nouveau autorité et le montre.

Ayant obtenu gain de cause, il peut, ensuite, proposer un arrangement qu'il négocie en usant « raisonnablement » de son autorité regagnée. Il se montre bon père, utilisant sur-le-champ cette autorité dans l'intérêt de ses enfants. En accord avec sa femme, il propose d'aménager leur retour « pour ne pas les brusquer ». Ne seraient-ils pas plutôt d'accord pour ne pas avoir à agir cette autorité dans l'immédiat, en s'en démettant aussitôt au juge des enfants — du moins, en partie ?

De fait, la question de la présence des enfants, à ce moment-là, est sans doute secondaire bien que le motif officiel de leur démarche. Cette question peut être reportée à plus tard car elle sous-entend la difficulté de devoir s'inscrire dans la réalité de l'exercice d'une autorité parentale, avec les responsabilités éducatives qu'elle suppose. Et là, ils ne sont pas sûrs d'eux..., ils doutent, bien naturellement, de leur aptitude à être de « bons parents » après trois années d'absence ! Avec cet arrangement, ils diffèrent du même coup le moment où ils « devront » en faire la preuve.

L'essentiel est ailleurs : une victoire qui les intéresse et les touche, avant tout, personnellement, en les réhabilitant ; adultes, ils font à nouveau autorité et négocient.

Les enfants sont restés silencieux, immobiles sur leurs chaises... Seule, Valérie, par moments, « pédale des jambes » dans son cartable qu'elle tient à bout de bras devant elle, comme un rempart, sous le regard et, parfois, le geste réprobateur de sa mère. Nous profitons de son intervention à propos des facultés d'autonomie de Nicolas pour les encourager à profiter de la vie familiale du moment en s'y faisant une place.

Nous voulons rapidement amener les enfants à participer activement pour être en relation avec eux, et être avec eux dans les interactions familiales. En nous intéressant à eux, nous inviterons leurs parents à prendre le risque de s'exprimer et de se montrer comme tels ; mais faut-il encore que leurs enfants aient bien aussi la possibilité de vivre leur vie d'enfant, avec nous, dans ces moments-là, qui avons à garder notre rôle et rester à notre place. C'est pour nous le moment d'exercer une fonction éducative « spécialisée » — nous sommes mandatés — et pour eux la possibilité de nous y rejoindre selon les places, les rôles et les fonctions de chacun dans la famille : si nous ne prenons que la place qui nous revient.

Par ailleurs, en nous adressant aux enfants et à leurs parents, nous évitons d'avoir à prendre en considération de façon trop directe les fragilités de ce couple, dont le « bruit » d'une nouvelle séparation, « qui court » — par assistante sociale interposée —, a probablement pour fonction de nous provoquer aussi.

Après avoir encouragé les parents à s'adresser aussi à leurs enfants, en nous intéressant avec eux à leur univers (scolaire, de voisinage et en famille d'accueil), nous leur donnons la possibilité d'utiliser les jeux disposés dans la pièce où nous sommes, en les laissant s'organiser comme bon leur semble.

Nicolas choisit seul un jeu et s'installe sur une petite table à côté de sa mère où Valérie vient le rejoindre pour le regarder et, bientôt, jouer avec lui. Leurs parents sont attentifs et leur donnent des conseils, mais sans intervenir directement.

C'est donc un moment important dont je ne parlerai pas davantage car là n'est pas mon propos. Mais ce quart d'heure est essentiel pour que se crée un nouveau système : famille-intervenants, en affiliation.

Les enfants, absorbés par la construction d'un puzzle, restent attentifs à notre conversation (parents-éducateurs) que nous reprenons là où nous l'avions interrompue pour nous intéresser à eux.

Éducateur 1. — Donc, quand vous êtes revenus de chez le juge des enfants, vous étiez...

Madame. — On était contents, oui !

Monsieur. — On n'était pas contents... C'est pas pareil : on était heureux ! C'est différent. A part que l'assistante sociale n'était pas trop satisfaite... Elle, son désir, c'était qu'on ne récupère pas Nicolas et Valérie. On s'est vu récemment...

Madame. — Oui, elle nous l'a encore redit.

Éducateur 1. — Qu'est-ce qu'elle craignait ?

Monsieur. — Elle craignait pour Valérie..., chez nous. C'était l'insécurité...

Madame. — Voilà !

Monsieur. — Elle, elle voyait mieux que Nicolas et Valérie continuent comme ça. On les a que les dimanches... et jusqu'à leur majorité ! Vous voyez ça comme ça..., je lui ai dit ! Mais nous, on est le père et la mère ! C'est pas vous qui commandez ! Elle, son souhait, c'était que le juge dise non.

Éducateur 1. — Et dans son esprit, la sécurité ça représente quoi ?

Monsieur. — ... Au départ... Il y a eu une période entre ma femme et moi...

Éducateur 1. — Période où mari et femme..., c'était difficile ?

Monsieur et Madame. — Oui, oh oui !

Monsieur. — C'est pour ça que les enfants ont été placés.

Éducateur 1. — Si on se situe il y a trois ans, à ce moment-là...

Monsieur. — C'est-à-dire que ce qui s'est passé il y a trois ans, pour elle, c'est aujourd'hui... la même chose !

Madame. — Voilà ! Elle ne comprend pas l'amélioration.

Monsieur. — Elle va me dire : « Oui, il y a des progrès »... Et quand je le lui demandais, il y avait toujours quelque chose qui n'allait pas... C'était ça... Puis ça... Et après... J'ai dit : « Non, c'est fini ! » Comme il y aura toujours des problèmes... Ce serait trop beau s'il n'y avait pas de difficultés... C'est-à-dire, elle parlait comme ça parce qu'elle avait perdu, effectivement.

Madame. — Elle l'a dit !

Monsieur. — Quand le juge a dit : « Bon !... M. et Mme Bastier vont récupérer leurs enfants », elle n'était pas satisfaite. Pour elle, c'était la partie perdue, et, pour nous, c'était une partie gagnée ! De toute façon, on était partis pour gagner.

Avec ce qu'ils évoquent des difficultés d'organisation du tribunal et les retards qui s'en sont suivis, dus à l'absence d'un juge pas remplacé...

Et de conclure :

Madame. — Et nous au milieu...

Monsieur. — Oui, et nous au milieu...

A ce moment de notre rencontre avec la famille, confortés par la dynamique de nos hypothèses, nous pouvons rester en affiliation avec eux malgré ces remises en question : nous accueillons leur victoire en les écoutant la proclamer sans nous défendre et sans, non plus, défendre notre collègue assistante sociale. Nous le signifions davantage par notre attitude ouverte que par nos commentaires : il s'agit de leur victoire !

Mais non de notre défaite !... pour nous en aller dans l'un des camps reprendre le combat. C'est pourquoi nous leur déclarons dans le même temps notre affiliation avec nos collègues intervenants. En somme, « au milieu » nous aussi, mais pas pour autant « entre deux chaises », en loyauté avec les uns et les autres, à des places différentes, sans coalition : en évitant précisément à ce moment-là de l'être avec eux contre leur assistante sociale.

Éducateur 1. — Nous avons rencontré votre assistante sociale (A.S.E.) ainsi que les autres intervenants que vous connaissez : l'assistante sociale de secteur, l'infirmier psychiatrique et l'assistante sociale de probation...

Monsieur. — Pour les enfants ?

Éducateur 1. — Oui, c'est...

Monsieur. — Mais c'est notre affaire ! Il s'occupe que de moi, l'infirmier !

Éducateur 1. — Je vais vous expliquer. Ces intervenants étaient mentionnés dans votre dossier au tribunal. Il nous a semblé important de les informer de notre mandat et de la décision prise avec vous par le juge des enfants. Ceci pour travailler avec vous, parents, au retour de vos enfants. Pour que tous ces services soient informés de cet objectif, pour que nous en parlions en vue d'un travail, aussi entre nous, dans ce sens-là. C'est important. Et nous avons eu le sentiment après notre rencontre que nous étions d'accord sur cet objectif. Nos services comprennent ce que vous avez obtenu du juge des enfants et ce que vous attendez. Avec aussi votre assistante sociale qui est d'accord pour aller dans ce sens-là, selon la décision prise.

Monsieur. — Oui, oui, elle nous l'a dit.

M. Bastier évoque alors sa relation avec le D.H.M.A. depuis de nombreuses années. Nous précisons où s'arrête notre travail de collaboration, là où ce travail avec le D.H.M.A. ne concerne que lui.

Éducateur 1. — ... Nous vous tiendrons au courant des gens que nous rencontrerons à propos de vous et de votre famille.

Monsieur. — Et d'ici quatre mois on prend rendez-vous avec le juge des enfants pour récupérer les enfants définitivement !

Madame. — Voilà !

Monsieur. — Si tout va bien...

La réaction de M. Bastier, à l'annonce de notre réunion de concertation, est une réaction au changement : après le leur, le nôtre... qui suppose à nouveau le leur... D'interlocuteurs séparés, nous réapparaissions en relation — partenaires — autour d'une perspective commune où nous les rejoignions. Eux, s'étaient remis en couple pour redemander leurs enfants, dans une réunion de famille. Et d'un coup, ils ne sont plus « au milieu » mais en face, en interlocuteurs, comme ils le sont avec nous en ce moment. C'est-à-dire qu'en redéfinissant une autre façon d'être entre nous avec eux, nous les invitions implicitement à faire de même.

Là est l'inquiétude que nous faisons naître alors, celle du changement, celle qu'exprime ce père : « Si tout va bien... », nous dit-il...

Ce conditionnel nous invite à explorer ce sur quoi ils ont fini par s'entendre avec le juge des enfants, puisqu'il y a eu négociation, puis contrat repris dans le procès-verbal d'audition.

Éducateur 1. — Lors de cette rencontre avec le juge des enfants, qu'avez-vous retenu comme objectif à atteindre ?

Monsieur. — Avant la récupération des enfants ? On s'est mis d'accord pour qu'on ait les enfants les week-ends et les vacances scolaires et on fera le point dans six mois, point général... c'est-à-dire avec vous aussi. On verra si on peut récupérer les enfants, ou s'il y a des problèmes ou... Là c'est lui qui décide, ça.

Éducateur 2. — Mais il y a eu des points précis...

Madame. — Non.

Éducateur 2. — A propos de la scolarité...

Monsieur. — Non, non.

Éducateur 1. — Dans le procès-verbal d'audition, il est question d'inscription à l'école ?

Madame. — Bon ! moi... Valérie, il a fallu la mettre à côté de chez nous, la changer. Je suis allée voir la directrice pour pouvoir l'inscrire.

Monsieur. — Sinon, pas de points précis. On a fait le nécessaire.

Éducateur 2. — Je crois qu'il y avait aussi une psychologue ?

Monsieur. — Ah, Mme C..., c'est pour Nicolas.

Madame. — C'est pour Nicolas. Elle est très gentille.

Monsieur. — C'est le vendredi, je crois...

Nicolas. — Le vendredi et le jeudi.

Ils nous expliquent comment ils se sont organisés pour cette psychothérapie, en place depuis un peu plus d'un an. Puis M. Bastier revient sur leur rencontre avec le juge des enfants et ce qu'ils ont vécu précédemment dans leur séparation d'avec leurs enfants...

Et à nouveau leur victoire à laquelle nous sommes renvoyés.

Éducateur 1. — Cette perspective de retour de vos enfants, ça change des choses pour vous ?

Madame. — Oh, oui !

Monsieur. — Énormément ! Moi... moi, j'allais travailler le matin, parce qu'il le fallait. Maintenant, c'est différent. Je vais travailler, j'ai une raison précise, vous comprenez... ? J'ai un but. Avant j'en avais pas.

(Et M. Bastier parle du juge qui les a reçus.)

Monsieur. — Un juge « extra ». Il nous a fait des excuses pour son collègue. Il nous a dit qu'il ne comprenait pas qu'on ait attendu un an. Et puis, on peut discuter... J'étais pas d'accord ; eh bien, il a accepté, en a convenu.

Éducateur 2. — C'est donc différent maintenant pour vous ; les enfants sont davantage présents. Et c'est peut-être aussi différent pour eux ?

Monsieur. — Oh, oui ! Maintenant, c'est régulier, on les voit plus. Ils ont maintenant des habitudes, ils se repèrent. Nicolas a sa chambre, son lit, ça oui... Il est habitué.

Pour nous, c'est pas pareil... Rien que le fait de me dire : « Ce soir, je suis à table avec ma femme, nos enfants... », ça, c'est quelque chose qui me manquait. Je me disais..., les autres sont avec leurs petits et moi je vais être seul avec ma femme. Ma journée et me retrouver comme un c... Tandis que là, samedi à midi on est ensemble, samedi soir on est ensemble, le dimanche midi on est ensemble, dimanche soir on est ensemble. C'est déjà une amélioration..., beaucoup plus de repas ensemble !

Éducateur 1. — Vous parliez de la chambre de Nicolas. Il était question de votre logement dans votre accord avec le juge des enfants. Vous êtes dans des conditions de logement difficiles ?

Madame. — Non, on a...

Monsieur. — On a deux chambres et un salon. C'est moi qui ai dit au juge des enfants : « Je détruis le salon pour faire une chambre à Nicolas ».

Madame. — Ça fait que...

Monsieur. — Seulement..., c'est un endroit qui nous plaît plus. On a eu beaucoup d'ennuis à cet endroit-là. Étant donné qu'on a récupéré les petits, on va voir... on envisage de redemander dans un endroit plus...

Éducateur 1. — Déménager ?

Madame. — Voilà !

Monsieur. — On souhaiterait ! C'est pour ça que les travaux... je les ai suspendus. Je vais voir..., sinon je ferai des lits superposés..., chacun sa chambre. De toute façon, il y a le salon. C'est un F4. Deux chambres et un salon. Je mets un rideau ou une porte... Mais enfin, comme on a pas trop envie d'y rester...

Éducateur 1. — C'est donc un problème d'organisation aussi... ? de choix... ?

Monsieur. — Et puis ça, j'attends un peu..., de récupérer les enfants définitivement.

Madame. — Après, là on commence à chercher..., trouver ailleurs.

Monsieur. — Pas trop envie de rester là...

Les parents ne parlent spontanément que du retour des enfants, et avec beaucoup de réticences des conditions de ce retour, dont ils ne souhaitent manifestement pas nous entretenir ; cela regarde le juge : « C'est lui qui décidera... »

Nous en profitons pour préciser, en les interpellant, dans quelles relations nous sommes avec le magistrat, et en quels termes. Nous le faisons en référence, comme pour eux, à son rôle d'autorité et à sa fonction de décideur : à partir de ce qui a été convenu avec lui, y compris notre intervention, et l'obligation où nous sommes, nous aussi, de rendre compte. Ici, cet accord écrit (P.V.) nous aide à rester dans la loi : là où ils ont été jugés « mauvais enfants » (mesures éducatives judiciaires), puis « mauvais citoyens » (délinquance) et enfin « mauvais parents » (placement de leurs enfants) ; là où ils sont allés dernièrement réclamer leur réhabilitation.

Aussi, lorsque nous insistons sur le contenu de ce contrat passé, en vérifiant auprès d'eux si ce que nous avons lu est bien ce qu'ils ont retenu, ces modalités arrêtées à propos du retour de leurs enfants sont reprises par Monsieur dans la perspective d'une éventuelle relance du combat : aménagement-déménagement et toutes leurs réticences à l'évoquer.

Dérobades et incertitudes qui ne pourraient que nous inquiéter si nous n'avions en point de repère un travail de réseau et nos premières hypothèses.

Ces parents, si peu sûrs d'eux après trois ans d'absence à cette place, nous annoncent par leurs réticences qu'ils peuvent « s'arranger » pour que nous incombe de décider éventuellement de l'impossibilité du retour des enfants. Nous risquons de le faire s'ils nous inquiètent. Ils nous inquiéteront à travers leur organisation, si c'est cela qu'ils veulent obtenir de nous... à défaut d'en décider eux-mêmes. Ils sont encore dans une alternative de combat : soit la poursuite d'une démarche parentale de requérant sans les enfants, mais en leur nom... soit, avec leurs enfants, l'exercice d'une fonction parentale — adultes responsables — avec toutes les incertitudes et tous les doutes qui les assaillent à l'envisager dans la quotidienneté... C'est pourquoi ils reviennent inlassablement à leur victoire, bien actuelle et qui les dynamise. Elle est avant tout un bénéfice personnel primordial, une réhabilitation précieuse et indispensable, avant celle qu'ils pourront peut-être entreprendre par la suite en parents.

Car cette démarche de réhabilitation inclut de fait le retour de leurs enfants, faisant d'eux des parents. Si bien que le fait d'être reconnus père et mère, fait qu'ils le sont. Mais aussi, être reconnus père et mère leur permet de ne pas l'être : de se montrer peu sûrs d'eux dans la vie de tous les jours et ayant beaucoup à apprendre... ce qui leur permet donc d'apprendre à le devenir... Avec notre aide, si nous comprenons et pouvons travailler ensemble l'aspect paradoxal de certaines de leurs réactions : comme très cohérentes resituées dans le fil de leur histoire et le contexte de leur démarche, et passage nécessaire pour se risquer à « traiter » de leurs responsabilités parentales.

Le retour des enfants en famille d'accueil et l'organisation de nos prochains rendez-vous — tous les quinze jours — va clôturer notre première rencontre.

Nous leur laissons le soin de s'organiser pour en informer la famille d'accueil, avec une consigne qui les y engage : en ramenant Nicolas et Valérie, de bien vouloir les saluer de notre part en attendant que nous nous rencontrions bientôt ; aux enfants, de leur raconter à quels jeux ils ont joué ici, et seulement cela...

Et nous nous quittons après avoir connoté positivement leur sentiment de victoire et leur réunion de famille aujourd'hui, avec nous.

Les messages qui suivent...

Quelques jours plus tard, un certain nombre d'appels téléphoniques nous mobilisent : autant de messages à comprendre pour savoir où nous en sommes.

D'abord un appel de l'assistante sociale (A.S.E.), alertée par la famille d'accueil qui s'inquiète. M. et Mme Bastier ne leur ont pas transmis la date de notre prochain rendez-vous de travail en famille... Nous sommes à dix jours de ce rendez-vous. Ils ont tout le temps pour cela..., mais c'est comme s'ils avaient été tenus de s'exécuter séance tenante, à défaut, confirmant et accréditant aussitôt les doutes des intervenants quant à leur sens des responsabilités.

Dans ma réponse, je cherche alors à nous approprier, avec la famille qui en est coresponsable, les risques et les conséquences d'un dysfonctionnement dans cette organisation qui est la nôtre et qui doit le rester. Cela comporte, selon moi, adhésion et évitement dans ce travail que nous engageons avec eux ; en leur laissant le pouvoir de décider de ce qu'ils font... à commencer par le faire à leur manière. Je réactualise à cette occasion l'intérêt d'une prochaine rencontre avec elle et la famille d'accueil, dès que possible.

Elle m'appelle à nouveau quelques jours après, cette fois-ci sollicitée à son tour par sa collègue de secteur, elle-même saisie par l'école où est Valérie... Elle est invitée à une réunion de l'équipe pédagogique pour la « gamine » qui s'adapte mal au cours préparatoire dans sa nouvelle école. Et il est déjà question d'un retour à l'école d'avant, près de sa famille d'accueil... Sa maîtresse d'alors avait fait un pronostic favorable pour son passage en C.P., pronostic qui ne se confirmait pas au vu de ses difficultés d'adaptation. L'équipe pédagogique est d'autant plus inquiète que ses parents sont « connus » dans le quartier.

Nous convenons que, ce faisant, les enseignants rejoignaient bien naturellement nos appréhensions de départ... Elle ira à cette réunion et y parlera de notre travail collectif en réseau, qui vise à intégrer au mieux les décisions prises dernièrement par le juge des enfants, y compris l'inscription scolaire de Valérie dans son quartier. Effectivement, nous pensons comme eux que cela ne sera pas facile. Un temps d'adaptation sera nécessaire. Ce temps enveloppe et mesure à la fois l'inquiétude actuelle de Valérie sur sa place : entre ses parents et sa famille d'accueil, entre sa nouvelle et son ancienne école. Cette inquiétude, tous les intervenants la vivent aussi. Et nous invitons l'école à se joindre à nous pour en parler.

Enfin, le matin même de notre second rendez-vous, je reçois un nouvel appel téléphonique ; il s'agit, cette fois-ci, de la famille d'accueil. Ils ont reçu hier un appel de Mme Bastier les informant qu'elle prendrait les enfants à l'école et que nous, les éducateurs, les ramènerions par la suite. Mais Nicolas leur a dit que son papa n'y sera pas : il serait actuellement en déplacement... Ils sont au courant de notre travail collectif par leur assistante sociale et ils souhaitent, avec elle, nous rencontrer bientôt : maintenant, ils sont inquiets pour Valérie. Je suis d'accord pour fixer un rendez-vous dont j'informerai la famille Bastier.

Ces premiers appels téléphoniques sont des messages qui nous informent doublement : sur les réactions des intervenants les plus proches des enfants à la suite de cette première mobilisation du groupe familial, et sur les effets d'un travail de réseau.

Les réactions des intervenants sont des messages qui nous donnent de l'information sur leur contenu et aussi sur la manière dont nous devons prendre ces informations.

C'est d'abord la famille d'accueil qui réagit la première et le plus rapidement. Elle est la plus concernée, après les parents, et la plus menacée par ce projet de restructuration familiale. Elle a mobilisé très vite son assistante sociale pour lui signaler ce qu'elle vit comme une défaillance parentale qui n'est en fait, à ce moment-là, qu'un pronostic négatif : elle n'est pas avertie d'un rendez-vous dix jours avant la date prévue. Elle dit son inquiétude, et l'inquiétude est le meilleur vecteur de l'idée de danger : elle nous alerte...

C'est un message qui traduit aussi les craintes de cette famille accueillante devant le changement qui s'amorce à propos des pertes affectives et financières que le départ probable des enfants laisse présager. Ces réactions en feed-back sont riches de signification si nous les comprenons à la mesure de l'intérêt et de l'affection de cette famille pour Nicolas et Valérie depuis trois ans.

Dans ce cas, il ne s'agit plus seulement pour nous, intervenants, de travailler avec une famille naturelle dans la perspective d'un éventuel retour de leurs enfants, mais aussi de travailler avec une famille d'accueil qui va devoir vivre le départ de deux enfants — après avoir vécu leur arrivée et les avoir « adoptés » — : c'est une famille confrontée brutalement à l'imminence d'un « deuil parental substitutif »... L'une des façons de le leur permettre en les y aidant dans ce moment de leur vie familiale, est de leur ménager une place active dans notre travail dans la perspective d'un transfert de compétence ; alternative à un combat symétrique de type, « bonne famille — mauvaise famille »... pour que les parents de Valérie et Nicolas puissent, eux, s'engager dans un travail de « renaissance » parentale. Dans cette perspective, nous voulons les inviter à participer avec nous à une démarche de professionnels en leur demandant pendant ce temps de conserver leur place et leur rôle d'accueillants.

Ce sont ensuite les réactions de l'école qui viennent confirmer les appréhensions et les premières réactions de la famille d'accueil : si l'on considère qu'effectivement la place de Valérie dans cette famille lui permettait jusqu'à présent d'avoir aussi une place bénéfique à l'école d'à côté. Ses difficultés d'adaptation, en même temps qu'elles confirment le bien-fondé des places précédentes (famille et école), les alertent sur les risques d'un retour de Valérie en famille, et ceci dès la rentrée scolaire. Là aussi, comme pour celles de la famille d'accueil autour de la date de notre rendez-vous, ces appréhensions sont plus attendues que réelles (compte tenu d'un temps d'adaptation nécessaire à tout enfant qui commence un cours préparatoire).

En même temps, ce message de l'école nous informe sur les réactions actuelles de Valérie et ce qu'il en est dit quant à sa position dans son réseau : « inadaptée ». Elle a du mal à s'adapter à ce changement d'école et de classe au moment où il est question d'un changement de famille.

En réalité, ne serait-elle pas « entre les deux » ? A un moment de passage que nous pouvons essayer de traduire, et ensuite travailler avec les enseignants, comme étant aussi la meilleure adaptation possible aux alternatives familiales et scolaires dont il vient d'être question. Dans ce cas, ce changement suppose, pour que Valérie s'adapte à sa nouvelle école, qu'elle « s'inadapte » d'abord... pour pouvoir s'adapter, ensuite. Comme sa famille doit le faire, comme nous, les intervenants, avons à le faire, comme l'école a aussi à s'adapter à sa nouvelle élève, compte tenu d'une redéfinition de sa place : « On ne peut passer directement du problème tel qu'il se présente initialement, à sa solution » (J. Haley)[8].

C'est dans cette perspective que nous pouvons partager, en les « recadrant », les préoccupations justifiées des enseignants : en rejoignant l'aspect dynamique des difficultés actuelles de Valérie — ponctuation positive — dans un contexte de déséquilibre et de rééquilibre inhérents l'un et l'autre à tout changement qui fait crise, donc difficulté. Et pour tous.

Si les réactions des intervenants nous ont donné de l'information et si nous en avons donné en retour, c'est parce que nous avons pu nous interpeller et nous situer pour communiquer. Pas n'importe comment et pas n'importe où. C'est aussi la façon dont nous nous y sommes pris, et de quelle place, qui nous renseigne sur notre travail de réseau.

A commencer par ce moment de rencontre et de réflexion avec l'information qui a circulé par la suite entre nous..., mais surtout au-delà. Car, bien qu'absents du collectif, mais les plus proches des

---

8. Haley J., *Nouvelles stratégies en thérapie familiale*, Paris, Éd. Universitaires — J.-P. Delarge, 1979.

enfants dans leur vie quotidienne, c'est la famille d'accueil et l'école qui vont se manifester pour nous expérimenter dans ce nouveau fonctionnement.

Pas n'importe comment : en déléguant vers les mandataires le référent social qui leur est le plus proche. La famille d'accueil, en s'adressant à son assistante sociale, la délègue vers nous (A.E.M.O.) ; l'école, en s'adressant à l'assistante sociale de secteur, la délègue vers sa collègue de l'Aide à l'enfance (A.S.E.). Ainsi, selon des modalités coutumières, famille d'accueil et école s'adressent-elles tout naturellement aux interlocuteurs sociaux désignés et reconnus jusqu'à présent comme les responsables des enfants et compétents pour apprécier ce qui leur convient.

Ce faisant, famille d'accueil et école respectent le point d'équilibre fonctionnel des systèmes intervenant à partir de l'éclatement du groupe familial tel qu'ils l'ont vécu depuis trois ans. Après les échos d'une éventuelle « reconstitution » de la famille naturelle des enfants — et ses premiers effets —, communiquer est l'occasion pour eux d'aller tester l'actualité et la pertinence de l'homéostase intersystémique, tout en allant à son secours... et, en toute loyauté, la confirmer dans un premier temps tout en obtenant de l'information en retour.

Pas n'importe comment donc, au cœur de ce fonctionnement « par délégation » — repris dans nos consignes à la famille à la fin de notre première rencontre — qui s'avère être une des caractéristiques essentielles et régulatrices des systèmes en interaction : famille-intervenants-services... et pour un temps : famille-réseau-services.

Pas à n'importe quelle place non plus : de cette place en réseau — nouveau système où chacun des différents services intervenant est représenté —, d'où nous pouvons nous appuyer sur de nouvelles relations plus fonctionnelles et plus opérantes qui s'originent dans une compréhension différente des enjeux auxquels nous participons avec cette famille ; guidés en cela par une autre lecture, une autre compréhension, à partir d'autres hypothèses.

De cette place, avec mes collègues, nous pouvons amorcer alors un recadrage significatif avec quelques chances de réussite : tenter de libérer la place centrale, essentielle, occupée jusque-là par nos services, celle d'où l'on assume la responsabilité des enfants et de la famille. Libérée, cette place est à prendre... avec les aménagements qui peuvent surgir des aptitudes des parents à l'occuper, tout ou partie, dans l'exercice d'une autorité qui a, à nouveau, de quoi s'exercer.

Six mois plus tard avec le juge des enfants, cette autorité devra pouvoir se dire et se montrer à la mesure de leur compétence du moment. A la mesure aussi de la nôtre, pour les aider à la découvrir et l'expérimenter.

DANS LA MÊME COLLECTION

ACKERMANS Alain et ANDOLFI Maurizio, *La création du système thérapeutique*. L'école de thérapie familiale de Rome.

ACKERMANS Alain et Van CUTSEM Chantal, sous la direction de, *Histoires de familles*, scènes de familles simulées.

ANDOLFI Maurizio, *La thérapie avec la famille*.

BEDOS F., MOINARD S., PLAIRE L., GARRABE J., *Marionnettes et marottes*.

BENOIT J.-C., *Changements systémiques en thérapie familiale*, textes classiques et actuels.

BENOIT J.-C., ROUME D., *La désaliénation systémique*, les entretiens collectifs familiaux en institution.

BERTA Mario, *Prospective symbolique en psychothérapie*, l'épreuve d'anticipation clinique et expérimentale.

BERTALANFFY Ludwig von, *Des robots, des esprits et des hommes*.

BOWEN Murray, *La différenciation du soi*, les triangles et les systèmes émotifs familiaux.

CAILLÉ Philippe, *Familles et thérapeutes*, lecture systémique d'une interaction.

CAILLÉ Philippe et REY Yveline, *Il était une fois*, du drame familial au conte systémique.

CAPLOW Théodore, *Deux contre un*, les coalitions dans les triades.

CARP C., DELLAERT R., *Images du monde chez les malades mentaux et psychothérapies*.

CIRILLO Stefano, *Familles en crise et placement familial*, guide pour les intervenants.

DARS Émile et BENOIT Jean-Claude, *L'expression scénique*, art dramatique et psychothérapie.

DE FRANK-LYNCH Barbara, *Thérapie familiale structurale*, manuel des principes et des éléments de base.

ELKAÏM Mony, sous la direction de, *Formations et pratiques en thérapie familiale*.

ELKAÏM Mony, sous la direction de, *Les pratiques de réseau, santé mentale et contexte social*.

ERICKSON Milton Y., *L'hypnose thérapeutique*, quatre conférences.

EVEQUOZ Grégoire, *Le contexte scolaire et ses otages*, vers une approche systémique des difficultés scolaires.

GOUTAL Michel, *Du fantasme au système*, scènes de famille en épistémologie psychanalytique et systémique.

GUILHOT M.-A. et J., *Analyse, activation et action thérapeutiques*, vers un intégralisme analytique et prospectif.

GUILHOT J. et M.-A., JOST F., LECOURT E., *La musicothérapie et les méthodes d'association des techniques*.

GUITTON-COHEN ADAD Catherine, *Instant et processus*, analogies en thérapie familiale systémique.

HALEY Jay, *Tacticiens du pouvoir*, Jésus-Christ, le psychanalyste, le schizophrène et quelques autres.

LAXENAIRE Michel, *La rencontre psychologique du médecin*.

LEBBE-BERRIER Paule, *Pouvoir et créativité du travailleur social,* une méthodologie systémique.

LECOURT Édith, *La pratique de la musicothérapie*.

MADANES Cloé, *Derrière la glace sans tain*, l'art du superviseur en thérapie familiale stratégique.

MALAREWICZ Jacques-Antoine, *La stratégie en thérapie*, ou l'hypnose sans hypnose de Milton H. Erickson.

MASSE Gérard et HOUSSIN Xavier, *Service social et psychiatrie de secteur*.

NEUBURGER Robert, *L'autre demande*, psychanalyse et thérapie familiale systémique.

NEUBURGER Robert, *L'irrationnel dans le couple et la famille,* à propos de petits groupes et de ceux qui les inventent.

PRIEUR Bernard, sous la direction de, *L'anorexique, le toxicomane et leur famille*.

QUIDU Marguerite et GOT Roger, *Marginaux de la santé*, la réadaptation sociale en psychiatrie.

REY Yveline, *La thérapie familiale telle quelle...*, de la théorie à la pratique.

ROGERS Carl, *La relation d'aide et la psychothérapie*.

SELVINI Matteo, *Mara Selvini Palazzoli, histoire d'une recherche*, l'évolution de la thérapie familiale dans l'œuvre de Mara Selvini Palazzoli.

SELVINI PALAZZOLI Mara et collaborateurs, *Dans les coulisses de l'organisation*, stratégie et tactique.

SELVINI PALAZZOLI Mara et collaborateurs, *Le magicien sans magie*.

SELVINI PALAZZOLI M., BOSCOLO L., CECCHIN G., PRATA G., *Paradoxe et contre-paradoxe*.

TOMAN Walter, *Constellations fraternelles et structures familiales*, leurs effets sur la personnalité et le comportement.

DANS LA COLLECTION
PSYCHOTHÉRAPIES — MÉTHODES ET CAS

BARON E., BENOIT J.-C., DEBURE E., ERLICH M., NOEL F., PELLERIN M., *Détente et mouvement en psychothérapie*, l'abord corporel thérapeutique.

BENOIT Jean-Claude, *L'équipe dans la crise psychiatrique*.

BENOIT Jean-Claude, *Le face à face en psychothérapie*.

BENOIT Jean-Claude, BERTA Mario, *La pénombre du double*, anticipation par les images positives et négatives.

BLÉANDONU Gérard, *La vidéo en thérapie*, le choc de l'image de soi dans les soins psychologiques.

BROUSTRA Jean, *Expression et psychose*, ateliers thérapeutiques d'expression.

BRUTTI Carlo, SCOTTI Francesco, *Réussir la psychiatrie alternative*, l'expérience de Pérouse.

COPHIGNON Janine, GUEDJ Max, *Double thérapie*, psychanalyse et corps.

DAIGREMONT A., GUITTON C., RABEAU B., *Des entretiens collectifs aux thérapies familiales en psychiatrie de secteur*.

DENNER Anne, *Les ateliers thérapeutiques d'expression plastique*.

FABRE Nicole, *L'enfant et le rêve-éveillé*, une approche psychothérapique de l'enfant.

FABRE Nicole, *L'enfant et le rêve-éveillé-dirigé*, une étude clinique.

GARNIER Philippe, BONNOT-MATHERON Sylviane, *Le psychodrame*, une psychothérapie analytique.

GARRAUD Claude, *La bioénergie*, du risque de vivre au plaisir d'exister.

GELLMAN Charles et Josette, *Les thérapies sexuelles*.

GUILHOT Marie-Aimée et Jean, *Psychothérapie de groupe pour les couples*.

GUILHOT Marie-Aimée, LÉTUVE Alain, *Sexe, corps et groupe*, l'abord psycho-corporel en sexologie.

GUILHOT J., LE HUCHE S., PERCEAU J., RADIGUET C., *Expression scénique*, parole, plaisir et poésie.

GULOTTA Guglielmo, *Comédies et drames du mariage*, psycho-guide illustré de la jungle conjugale.

LAUTIER Françoise, *En marge de la drogue*, toxicomanes dans les appartements thérapeutiques.

MALAREWICZ Jacques-Antoine et GODIN Jean, *Milton H. Erickson*, de l'hypnose clinique à la psychothérapie stratégique.

PETIT Marie, *La gestalt*, thérapie de l'ici et maintenant.

REVERCHON François et MEYER Monique, *Psychanalyse et relaxation*, autour de la chronique d'un groupe.

SOLIE Pierre, *Mythanalyse jungienne*.

ZRIBI Gérard, *Vers une psychothérapie sociale*, le sort des adolescents et des adultes handicapés mentaux.

DICTIONNAIRE CLINIQUE
DES THÉRAPIES FAMILIALES SYSTÉMIQUES

Sous la direction de Jean-Claude BENOIT et Jacques-Antoine MALARE WICZ avec le concours de Jacques BEAUJEAN, Yves COLAS, Serge KANNAS et de nombreuses collaborations françaises et étrangères.
Préface du professeur Paul SIVADON.

ACHEVÉ D'IMPRIMER EN MAI 1989 SUR LES PRESSES DE CORLET, IMPRIMEUR, S.A.,
14110 CONDÉ-SUR-NOIREAU (FRANCE) — NUMÉRO D'ÉDITION : 1714 ED 1514
DÉPÔT LÉGAL : MAI 1989 — NUMÉRO D'IMPRESSION : 13811

Imprimé en C.E.E.